10.12.2015

對台灣的願景

曾在安平的巷弄裡巧遇老屋，
百年紅磚上簇擁著新生而茂盛的綠葉，顯得幽韻，讓人平靜。
旅行所看見的美麗，我想，或許就是台灣的春天吧！

——1/2 的藝術蝦

英派

點亮台灣的這一哩路

蔡英文——著

序

我們都是英派

想想看，二十年後的台灣，會是個怎麼樣的國家？

這是我這幾年來，不斷在思索的問題。

在三年前，總統選舉結束以後，我回歸到最樸實的狀態，我成立了小英基金會，同時，在網站上，我們做了一個網路論壇，叫做「想想」。

這是我當時眞實的心境，在選舉的激情，與高潮的政治攻防之後，我要冷靜下來，沉澱反省，並且把這個國家的未來再做一個全盤的規畫。這個國家到底是什麼樣貌？台灣所面臨的問題、困境是什麼？而在那其中，我自己的角色又應該是什麼？

在我看來，如果台灣過去的民主是一個感性的衝刺，那現在則應該步入理性的建設階段。我自詡是一個理性的人，我這樣的人出現在這樣的時代中，應該有它的

意義吧。過去這一兩年來，舊政治的時代，已經在被淘汰的邊緣。而新政治的時代，則依然面目模糊，甚至，有點百廢待舉。我相信，政治就如同德國社會學家韋伯所說的，我們要更有耐性地，穿透那無法穿透的厚實木板，穩健地、踏實地、精準地達成理想。

這就是我的作風，我想姑且就稱爲「英派」作風吧。

「英派」這兩個字，第一次是出現在二〇一五年基隆市後援會授證大會的會場上。當時，我有感於台下支持者的熱情，然後，我覺得必須爲「我們」這一群想要改變國家命運的人想一個強而有力的名稱。於是，我就脫口而出，「我們都是英派」。

我期待「英派」是很大的一群人，我也期待「英派」在未來台灣的歷史裡，是會被記著的一群人，而且是會被人們以改革者的形象記憶下來的一群人。台灣需要改革，不敢改革就是領導人的失職。如果領導人想的只是權力，改革就會打折扣，換句話說，在這樣一個時代裡，爲了讓這個國家更好，我們要形成一股力量，即使改革會得罪既有勢力，也必須堅持，絕不能放棄。

一直以來，我對政治的態度都是如此。我要求自己，不管發生什麼事，都要冷靜地達成理想，絕不拖延，也絕不躁進。

我失敗過，也試著爬起來。這幾年來，我四處探訪，從台灣的各地方、各層面

去觀察、體會人民的問題。一個政治人物，要能夠從一般民眾的角度來思考，當政策落實到一般人的生活裡時，是帶給人方便，還是增加人民的負擔。

這三年來，台灣發生了很多事，我個人也體會了很多事。這本書記錄了台灣社會的變化，也記錄了一千多個日子以來我的所見所聞。書中有七個「小英」，但是我真正想講的是，如果這七個小英可以拉出一群「英派」來改變這個國家，那這三年來我所做的一切，都是值得的。

當台南市灣裡的阿公，帶著小孫子，把裝載滿滿的期望與夢想的小豬，交給我的那一刻起，我就告訴自己，我絕對不能辜負他們的期待。

這是全體台灣人民對未來的希望，這也是我的責任，是我與人民締結的約定：一個改革的台灣，一個穩健發展的台灣，一個壯大的台灣，一個保持活力與彈性、理想與希望的台灣，一個隨時準備給人更多驚喜的台灣。

CONTENTS

Chapter 2

行動小英

Chapter 3

社會小英

Chapter 4

政治小英

Chapter 5

經濟小英

Chapter 6

外交小英

Chapter 7

在地希望

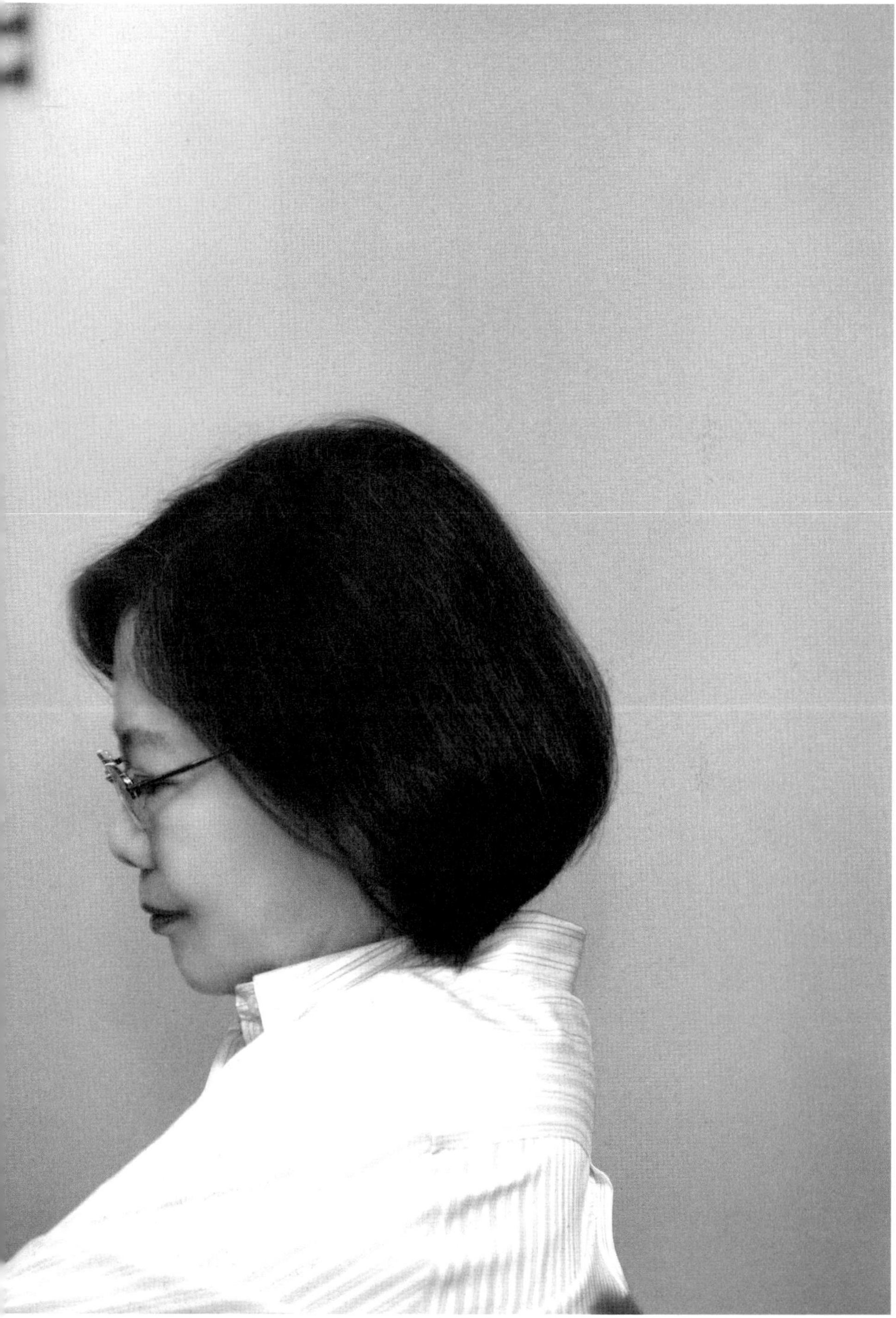

思考 Chapter 1 小英

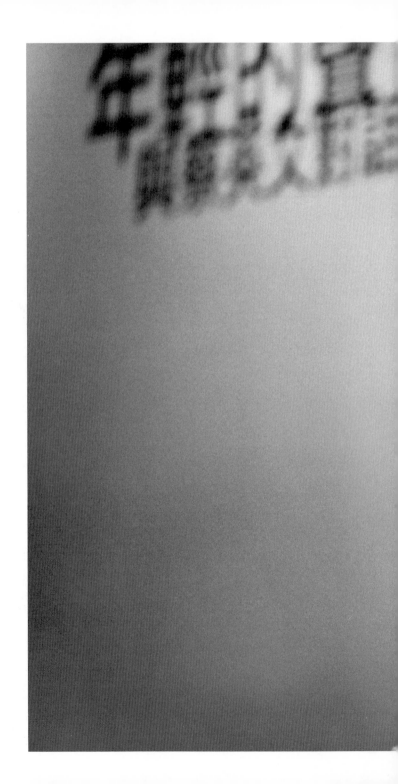

小英教育

年輕的聲音

01 敗者的承擔

我把車門關上，廂型車緩緩駛離競選總部，這一年多來的喧嘩和所有情緒，彷彿都留在競選總部的台前。車裡沒有人講話，回家的路上，打在車窗上的雨滴，像不久前支持者的眼淚，無聲滑落。如果有什麼事情最令我自責，就是那片淚海。

二〇一二年總統大選結束了。

平常坐在車上的時候，如果不是在閱讀資料，或跟幕僚談事情，我總是習慣地看著車窗外。今天也一樣。雖然我們剛剛經歷了一場總統大選，不過，今天的台北跟以前的台北並沒有什麼不同。日子還是要過下去，這才是真實的人生。對我來說，在那一刻，最真實的人生是，我們未能在大選中獲得勝利。那天回家的路上，我的腦袋裡只有這一件事。

為什麼無法跨過這最後一哩路？

敗選，是我一個人的責任

返回黨部上班的第一件事，我就特地請民調中心仔仔細細地做敗選檢討。我告訴負責的民調中心主任陳俊麟：「你要用科學數據來證明，究竟這八十萬票是怎麼輸的。」我們要明確檢討，下次不要再犯同樣錯誤。

預測一向精準的俊麟，看著我苦笑，這是他一貫的風格，每當我要求一些與他意見不同的事情，他總是給我這種表情。他皺著眉頭問：「妳確定要在這個時候和所有人釐清責任？」

我回答：「檢討是針對問題，不是對人；敗選，是我一個人的責任。」

未選上，反省的聲音接踵而至。有人說是經濟因素，有人說是對手最後關頭的恐嚇牌奏效，有人說是台灣還不習慣才四年就換黨執政，有人說是台灣社會的保守風氣使然，有人說我們的政策不夠清晰誘人，有人說是民進黨才剛從谷底爬起，還無法充分獲得人民的信任……

說法很多，也都言之成理，但似乎沒有一個理由是絕對的因素。

必須捫心自問的是，從二〇〇八到二〇一二年，我究竟少做了什麼，才無法爭

取到多數人民的信任？

辭去黨主席

二〇一二年一月十六日上午，民主進步黨召開敗選後的臨時中常會。會中要處理的案子跟我個人有關，也就是我的請辭案。在敗選的當天晚上，我已經對著媒體以及競選總部前的人群公開宣布，要辭去民進黨主席一職。到現在我都還記得那一刻，台下支持者的震驚與呼喊。

「留下來」從來都不是一個選項，輸了就必須走人，這是民進黨從創黨以來的堅持。所以，對我來說，辭去黨主席並不是一個很困難的決定。在那個時刻，我心中很篤定，英國前首相邱吉爾的名言一直在我腦海裡面：「酒店關門，我就走人。」以身作則捍衛黨的傳統與價值，一直是我的義務與責任。

臨時中常會上，許多黨內夥伴紛紛對我表達慰問與致意，還表示自己選區的票數沒開出來，負責輔選的每個人心中充滿了歉意。我知道這一群好夥伴們是想幫我分擔敗選的責任。對於他們當時所給我的溫暖，我銘記在心，我想藉著這個機會，再一次向他們說聲謝謝。

除了對不起與謝謝之外，整場中常會裡，我說最多遍的，應該是「不能現在辭

嗎？」這六個字。

謝長廷前院長執意要我留到五月底任滿，他找出各種理由說服大家。經過一連串的討論之後，最終，我們得出了一個折衷方案，就是我留任到二月底。這樣做的目的，是想減少支持者的震撼，給他們多一點時間，在相對穩定的政局中調適敗選的結果。這個結果雖讓我無法立即「掛冠求去」，不過，如果我多做一天黨主席，支持者就會多一份信心，基於這一點，我很願意試試看。

就這樣，我帶著黨主席的身分，每天一筆一畫，在桌前的燈光下，慢慢在謝卡上寫下自己的名字，對我來說，每一張謝卡，都有著無比的重量。

在台一線上跟著我們沿途掃街的機車騎士們、台三線上硬塞紅包給我的年輕母親、哈佛大學裡雙眼充滿期待的留學生，每張面容彷彿就在眼前，多想親自跟他們說聲謝謝，也說聲對不起。

一直都在

二〇一二年選後隔週就過年了，過年期間，我幾乎足不出戶，連續多年忙於選戰的疲憊身心，需要好好的靜一靜。立委蕭美琴的虎斑貓Monster，坐在檯燈下陪著我，只是繼續寫下感謝。

年假還未結束，我就請幕僚安排了謝票行程，每個縣市都希望能走一遍，好好的看一看每位支持者，好好謝謝大家，也讓大家好好看看我。

花了一個月的時間，從南到北，從本島到外島。「主席，我爸在選後整天無精打采的，好像失戀了一樣。」一位記者私底下這樣形容。

在那一段「留任」的期間，很多黨內的朋友來看我，他們很擔心我的下一步是否會轉換跑道，離開政壇。

事實上，這個念頭並非沒有出現在我腦海裡。我必須承認，征戰沙場的日子遠比各位想像得辛苦與疲累。每個人都有軟弱與任性的那一面，只不過，我知道，從二〇〇八年接下黨主席的工作之後，我跟別人不同的地方在於，我再也沒有軟弱的權利，更沒有任性的權利了。二〇一二年的我，更是如此，我身上負著六百多萬份的期許，我不能拋下支持者，說走就走。

所以，我告訴這些朋友：「別擔心，我是終身黨員，我不會離開民進黨。」我並不是一個禁不起打擊的人，只要民進黨還需要我，只要我還能爲台灣做點什麼，我不會因爲失敗就放棄。

二〇一二年都還沒過完，就有許多媒體關注我的下一步，紛紛詢問我是否準備參選下一屆。我回答他們：「每個政治人物都要讓自己成爲那個最好的選項。」

這是我眞心眞意的回答。沒有人可以正確預測任何一個政治人物四年後的能力

與聲望。我唯一能做的，就是努力與再努力。

從二〇一二到二〇一六，這四年會是我的準備期，也是台灣社會對我的檢驗期。當時的我未能說服人民，讓大家選擇我，那現在的我，是不是已經更貼近人民的想法？

這是我想要尋找的答案，也是我要持續努力的目標，我不會放棄。

02

回到民間找答案

黨內不少人憂心，一旦我辭去黨主席，這個黨將走回過去訴求悲情的街頭草莽路線。幾位黨內資深人士也認爲，沒有我之後的民進黨會更趨於保守，創黨時的進步動力將很難找回來。如此一來，民進黨對社會將更缺乏號召力，更難突破藍大綠小的先天劣勢。

坦白講，對此，我並不是非常擔心。因爲我始終相信，即使選舉結果不盡如人意，但我過去四年爲這個黨打下的轉型根基，不會因爲我個人的辭職就煙消雲散。我的競選總幹事吳乃仁支持我的想法，他認爲選後的民進黨，已經跟二〇〇八年慘敗到沒人願意接黨主席的情況不同了，我們就讓接手的人盤整一下。這個黨有自己的韌性。

吳乃仁建議我，「妳換個身分，回到民間重新感受這個社會，用不同的角度來

看台灣，或許能找到答案。」

回到民間找答案？我對這個建議有些忐忑。當年我接任民進黨主席，多少依恃著自己多年積累的名聲，將這樣的社會資產轉爲政治能量。若是以一介平民的身分，單槍匹馬走入社會，去尋找台灣社會的眞正所需，這樣眞的可行嗎？

儘管心中忐忑，這個建議倒是激起我的鬥志。我常常想起父親生前對我說過的話：「妳不需要跟別人爭。人家能做的事，讓人家去做；人家不做的，或者做不到的，妳再去做。」

沒有錯。人家做不到的，我再去做。只是這一次，我要做的不是一個職務，而是好好地看看這塊土地，爲她所面臨的各種問題，尋找解方。競選的時候，我有一個明顯的對手，我知道他在那裡。即使唐吉訶德要跟風車對決，至少擺在他眼前的還有一個具體的風車。然而我現在所要挑戰的，是一個看不到、摸不到、甚至感受不到的力量。更重要的，我不具有任何公權力，也不再有黨的資源。坦白講，在那一刻，我覺得自己很渺小。

相信自己的價值

「回到民間」這四個字就這樣在我腦袋裡面思索了幾十天。二〇一二年二月

二十九日，我把黨主席的重責大任交給陳菊市長。我擔任主席的這些年來，菊姊對我的幫助與照顧，早已不是言語可以形容。以她的經驗與智慧，把代理黨主席的職務交給她，我心中的大石頭終於放下。卸任黨主席那天，我告訴民進黨的夥伴們：

歷史不是直線前進的，但是當有智慧、有決心的領導人推動後，歷史的確會前進。這裡我講的領導人不是任何個人，而是我們這個政黨。我們要相信自己所代表的價值，要相信自己身上那份守護台灣的責任，要相信我們可以把台灣帶到更美好更公平的未來，更重要的，要相信我們民進黨就是引領台灣歷史前進的力量，再見了，我的朋友，民進黨加油！

至於我個人要努力的部分，就是要去把我們的支持者找出來，要去尋找改變台灣的力量。這個歷經長期威權統治而傾向保守的台灣，必須要認眞看待自己的問題，勇敢面對改變，才能前進。

我的下一步可能太抽象，不是很容易理解，於是有更多的人跑來關心我，想知道我究竟有什麼打算。

台灣人民是土地上最有力的資產

辭去黨主席之後，我就留在長安東路的辦公室裡。這裡常常人聲喧嘩，有屏東鄉親組團北上來找我喝茶，各個領域的朋友也絡繹不絕。大家來看我時，說的都是同一件事：不要輕言放棄。

「妳在那裡跌倒，就要在那裡爬起來，不要失志。」一位阿嬤一邊拉著我的手，一邊拭淚。整個選戰過程中，我不曾流下一滴眼淚。即使輸了，我也不曾哭泣。倒是我們的支持者擔心我意志消沉，勸我要振作，不過，到頭來卻幾乎都是我在安慰他們。

這眞是全世界最可愛的一群支持者。在我謝票的過程中，他們對一個因選舉結果而下台的前黨主席，不但沒有責備，依然充滿了深切的期許。我心中常常感到震撼，自己何其有幸，能得到這些人無怨無悔的支持。

台灣人民的熱情和純樸，向來是這塊土地上，最具生命力的資產。身爲政治人物，我們一定有很多方法，能爲他們多做一些！

「主席，眞的不能放棄，我們都還養著小豬哦！」離去前，阿公再次鼓勵我。我想起三隻小豬的故事。

故事裡，最後讓大野狼知難而退的，是老三蓋的磚房，三兄弟躲在安全的屋子裡，才免於被狼吃掉的命運。

我們在二〇一二年選舉時提的「十年政綱」和台灣願景，是從上到下制訂的政策方針，也因爲在選舉期間有限的時空環境下，無法好好的溝通和說明，對許多民眾來說，或許，就像是茅草屋，而不是眞正能夠擋風避雨，提供足夠安全感的磚房。

「迎接改變才有更好的未來」，選前，我們總是這樣告訴民眾，然而，對選民來說，卻未能看到足以讓人安心的磚房。

接下來這四年，我知道，我應該要來做這樣的工作。一方面重新檢視我們蓋的磚房是否牢固，另一方面，要找出堅固磚房的建造方法；而且，這磚房是否牢固，要民眾說了才算！

有目標的選擇

以前，我有黨主席的身分，卻無法在幾年的時間內爲人民蓋好一座堅實的房子，而現在，沒有資源的我，要如何尋找爲這個社會建構牢靠磚房的方法，並且說服人民，讓社會有勇氣前進呢？

二〇〇〇年我入閣擔任陸委會主委時，就跟我熟識、一路以來也提供我許多思考刺激的林錦昌，也建議我雙腳回到社會，充分向人民學習。

經歷學者、國際談判、政務官，再到在野黨的黨主席，多年來的工作經驗，已讓我習於抽象思考，從政策制訂者的角度來思考民眾的需求。但是，在廟堂之內的政策制訂者所提供的政策，眞的是民眾切身的感受與需要嗎？

選舉期間，政策部門開了無數次的會議累積的心血結晶，最後提出「十年政綱」，但是，這十年政綱是不是已經足夠，能做爲我們未來執政時的指導綱領？這是我念茲在茲的問題。

那個時候，我沒有答案。我也不可能有答案。但我知道，唯有回到社會，回到民間，才能找到眞實的答案。

如果說，二〇〇八年接任黨主席到二〇一二年代表民進黨參選總統，這一路的政治歷程是個意外，二〇一二年之後，就不再是意外，而是我自己有目標、有方向的選擇。

我要去把民間的力量找出來，這一股力量是台灣最眞實的力量。當政府無能、政治人物怠惰時，民間會自動自發地扛起責任，挽救這個社會不至於沉淪，他們一直都在，他們的良善一直沒有消失。我很確定，他們就是那第三隻小豬，他們手中握有建造堅固磚房的密碼，他們身上有太多政治人物該知道而不知道的故事。

我一直相信，每一次選舉結果，都只是一次戰役的結算，政治人物終其一生，會有許多次的結算，而二〇一二的選舉，只是其中一次戰役。

是的，我的故事還沒有結束。我還有很多事要做，我還有敗者的承擔要完成。

03 準備好了，我會再回來

我想要設立一個基金會，透過它來解答我心中所有的疑問，這些疑問包括我的想法，以及實際把它執行出來的作法。

社會力量必須壯大

由於我在行政院副院長任內籌辦過台灣經濟永續成長會議，當時就發現，台灣的社會力已經逐漸壯大起來，我們整個國家的發展才不致被少數政黨與大企業過度主導。在一些重要的議題上，社會也才能由下而上凝聚共識。它們是社會的根，緊緊抓住地面，讓在上頭承受風雨的枝葉與樹幹不至於倒下。

爲了成立基金會，我跟許多朋友談自己的想法。大家異口同聲建議，若要成

立，就要從社會出發。擔任黨主席的這些年，我也感覺到，台灣社會幾乎將所有的期待，都寄託在政黨之上，經濟部門及社會部門過度往政治傾斜，這對台灣長遠的發展來說，並不是好事。

要讓社會力量壯大起來，才有可能在關鍵的時刻裡，平衡或制衡政治和經濟部門。如果社會力量不足，什麼都由政黨來承擔，到了最後，就是不斷的朝野大戰。我們已經一次又一次的看到這種情況，台灣在民主化後，朝野兩大黨常在立法院對戰，但，與此同時，社會整體卻始終沒有學習和思考的機會。

方向已經有了，就從社會出發！

探尋改變台灣的密碼

在一次南下的高鐵上，我寫下基金會最初的藍圖：「投入基層，由下而上凝聚、建構改革的社會力」，我相信這應該是探尋改變台灣力量的密碼。

卸下了黨職的局限，我便可不計政治風險和成本地投入理想的實踐。我想去做一些民進黨做不到的事，一些不太政治、又有意義的事。

在基金會正式成立之前，我僅帶著兩、三位幕僚，從台灣的偏鄉角落出發。我們走過原鄉、社區、農村、工廠，不需要趕行程，就是想在一步一腳印之中，直接

面對我心中的疑問。

那一趟旅程，我感受最深的是，以不同於選舉的方式走入每個人的日常生活，心中的感覺更踏實。整趟旅程走下來，我們不需要知道對方是不是投給我，是不是民進黨的支持者。

多年以來，這兩個問題一直是我們最想知道的。不過，從那一刻起，它們顯得不是這麼重要了。有沒有投給我又如何呢？哪種政治傾向又怎樣呢？我想知道的是，他們過得好不好？生活上有哪些困難？他們又是如何憑藉自己的智慧與努力來度過一次又一次的難關？

高雄美濃的朋友，拿出家裡廚房的小米鹹魚和我分享，告訴我在地食材的故事，也表達出她對下一代工作難找的憂慮。

在新北市新店做資源回收的朋友，一臉愁苦地跟我說：「我們每天忙著工作餬口，連上街抗議的時間都沒有。」

高鐵嘉義站前的計程車司機，在選前看到我都興奮地高喊：「加油！」選後再見面，卻總是苦著臉：「日子歹過，我現在一天跑不到一千元，車子吃飽，我的孩子就吃不夠了。」

如果政治不能使人民的生活獲得改善，那從政又有什麼用？

每一位樸實的台灣人民，都比任何一個政治人物來得重要，沒有這些真誠而且

熱情的人民，台灣就是空的。

屬於大家的基金會

這些人的處境讓我心中的想法更加清晰。即將要成立的基金會，絕對不是一個單純的智庫。而是一個可以找出具體可行、可長可久的政策，同時能在政府有限的資源下，協助弱勢者，讓過度傾斜的台灣社會，再度找到平衡方法的一個行動組織。

藍圖有了之後，接下來就是尋找組成基金會基底的人才。

從一開始我就認爲，這個基金會並不是我個人的。因此，我要找各個領域的人才來當董事，他們要懂政策、懂社會，具有不同背景，而且能相互討論與激盪。我不是要收納我的朋友，而是要找眞正能爲台灣摸索一條出路的人。

一個個拜訪、尋找董事的過程中，出乎意料之外地順利，即使輸了選舉，大家都還是有一份心，想找些方式來爲台灣做事。

特別值得一提的是姚立明。我和林全去拜訪具有新黨背景的他時，還頗爲擔心，他會因爲政治立場上的顧忌而拒絕我的邀請。然而，事實證明是我們多慮了。在跟他商談的過程中，他很坦率地直言：「不要什麼事都從藍綠立場思考。」能參

與小英基金會的運作，他覺得很高興。

姚立明後來在二〇一四年台北市長選舉中，擔任柯文哲的競選總幹事。不管是擔任小英基金會董事，或是柯文哲總幹事，他都親自實踐了「不要什麼事都從藍綠立場來思考」這句話。

為什麼叫做「小英基金會」

人找齊了，不過，基金會的名稱到底用哪個好呢？想名字這件事往往能引起最熱烈的討論。許多朋友提出各式各樣的建議，同仁們也想破了頭，比如說「台灣新願景」或「最後一哩路」等，不過，這些名稱始終沒有獲得大家的共識。

「爲什麼不能就稱爲『小英』基金會呢？」在一次董事聚會中，陳博志老師認眞地說：「大家都叫小英、小英的，那我們就叫『小英基金會』嘛！」

會中有其他董事覺得不妥，認爲基金會的名稱未必需要跟我這麼貼近，經過一陣熱烈的討論後，大家還是基於「小英」這個名詞親切好記，基金會的名稱就這樣定了。

不過，我們都堅持，基金會的設立，是出於公衆的目的，不是爲了個人。

曾經有位留法的台灣學生寫了封長長的信給我，詳述卡通《小英的故事》中，

小英如何克服萬難、完成夢想。這部卡通是從法國童話《Nobody's Girl》（中譯本有《孤女努力記》）改編的，在原著裡，「小英」代表的其實是十九世紀末資本主義當道的社會，許多貧苦孩子的象徵和縮影。

我不是那個「小英」，但我這個小英，下定決心，要努力匯整台灣社會的力量，讓「Nobody's girl」變成「Everybody's child」，讓台灣社會中需要關心的每一個孩子，都能受到照顧，也能有對未來的希望和方向。

一起「想想」，我要連上整個社會

除了基金會的組織運作之外，我還有一件事想做，就是成立一個公共論壇，在網路上討論政策、討論歷史，討論各式各樣的公共議題，激發社會的思考，創造對話的空間。一開始很多人質疑這個作法的效益，但是我很堅持。

這就是後來的「想想論壇」。

我認為，激盪社會的思考是一種扎根的工作，如果我們認為台灣社會的淺碟化與娛樂化是一個嚴重的問題，那總要有人出來做一些事以扭轉這個趨勢。

論壇是公共的，不是我個人的，成立與否不應從對我個人是否有利的角度來思考。

「想想論壇」的成立，正值網路媒體風起雲湧之際，有別的是，它的內容並非播報每日新聞，而是收納多元、持久關懷，平常拚不上傳統媒體版面但卻深刻發生著的議題。論壇網頁同時設有簡體版，方便兩岸理解。成立三年來，有八百多位作者在此地貢獻觀點與智慧，累積了三千多篇文章。網站的點閱來自於世界各國，包括美國、日本、澳洲、英國……等，甚至有從荷蘭、印度、西班牙和義大利等國家的讀者，讓全球的中文人口能零距離地參與台灣一起想想。

二〇一四年，想想論壇也開闢了英文版，做爲接連台灣與國際社會的平台，邀集國內外資深作家、評論家，內容含括了台灣的政治、社會、文化和所處區域，利用最自在自由的免費媒體，最眞實的聲音和建言，讓國際朋友能夠更容易了解我們，這絕對有利於台灣的對外交流。

我對「想想論壇」的偏愛，可以從一件事情看得出來：我的貓咪叫做「蔡想想」。它和牠，就是我每天都放在心上的。

基金會的「公共性」，也表現在空間裡。

幕僚在基金會籌備期間，貼心地設計了「小豬廊道」，把選舉時大力協助我們的許許多多小豬，陳列在辦公室，一推開基金會的大門，就能看到許多被挖空了肚子的小豬，依然懷抱著期待的臉龐。

二〇一二年八月，「財團法人小英教育基金會」正式成立了，初期，辦公室同

仁只有十多位，但都是要併肩打拚的夥伴。

這裡是「取之於民、用之於民」的地方。從這裡，我要連上整個社會。

10/13/2015
下午 5:30

想想論壇

想想論壇英文版

行動小英

Chapter 2

台灣戰略地位
的重要性
Dr. William A. Stanton
司徒文 博士

04

希望，在每一個踏實的腳步上

「把仙人掌果實製成冰，是不是需要很高的技術門檻？產量有多少？是季節性的嗎？」

在澎湖西嶼二崁聚落，鄉親熱情地遞給我一杯冰品。紫色的冰沙透著清涼，淡淡微酸在舌尖上化開，我第一次吃到這樣的冰，把仙人掌變成夏天的冰品，我不得不佩服當地人的創意。我一邊品嚐美食，一邊詢問仙人掌冰沙的製作過程與產銷方式，這是我在基金會成立之後所養成的「習慣」，不管走到哪裡，不管我吃到了什麼，看到了什麼，我都想進一步了解，當地的人民為了生存與發展所發揮出來的韌性與創意。我在想，這來自多刺仙人掌的獨特冰品，有沒有可能成為澎湖經濟的轉機。

自從卸下了黨主席之後，我有了多年來難得的清閒時間，也因此有了更充分的

空間，可以自在地向土地學習，向民眾的智慧學習。

以往在黨主席任內，我到過澎湖不少次，不過，幾乎都是旋風般的選舉行程。下午抵達，晚上晚會，隔天清晨掃漁市場，上午掃菜市場，到了中午就差不多要準備飛回台灣了。來去匆匆的行程中，總是沒有好好地靜下心來欣賞這座島嶼的美。

但現在不同了！我特別請幕僚安排，在澎湖的每個行程都要長達二到三個小時，而且，我希望每個行程都要能代表真正的澎湖，每個行程都要和在地專家聊聊，即使是生產、販賣一杯仙人掌冰沙的攤子，也有我能學習的地方。

很多政治人物一到選舉就想起長宿休閒 long stay，我覺得，真正要認識台灣，不必特地去哪裡 stay，把 every step 每一步踏得深、踏得穩，就能扎扎實實地學到很多。

一旦進入人民的日常生活之中，坐在沙發上、坐在餐桌前、坐在院子裡的板凳上，都遠比坐在會議室或坐在辦公桌後，能聽到更多，看到更多。台灣是一個多元的社會，這個國家中住著各式各樣的人，只要走出我們熟悉的小圈子，我們就會發現台灣的故事如此豐富而精采。

平衡與和諧

在地價値的追求

高雄錫安山是我一直想去的地方，新約教會的信徒們在那裡建立了自己的家園，那座山有著沉重的歷史，當年因爲追求宗教獨立與集體生活，而被國民黨迫害的紀錄至今仍然保存在那裡。那是一個自給自足的宗教型社會，他們用自然農法來耕牧，自己養兔子、家禽。錫安山的生態循環體系，不僅表現在耕食方面，更在人與大自然之間。在那裡，我看到了一種平衡與和諧。

自耕自食、共工共產的生活，在台灣看似「特異獨行」，卻因宗教的緣故，能夠「跨國串連」。在我們造訪的那天，遇到一群來自美國加州中學生在錫安山做「交換學生」，他們在這裡與錫安山的居民們一起耕作，一起生活。跟他們聊天之後，我發現，他們居然比大多數台灣人更了解台灣南部山區的氣候和土壤特性。他們邊吃台灣特有的水果——蓮霧，邊和我分享對台灣的喜愛。

在地獨特的文化、風土和傳統，就是最具國際性的價值。排灣族撒可努創辦的獵人學校，也是一個好範例。

他在台東家鄉透過舉辦體驗營、文化課程讓不同族群的人，都能學習原住民獵人與大自然相處的智慧、與土地和諧共存的倫理。

透過辦校的過程，他們在部落重新復育原住民獨有的獵人文化，同時也向外發揚。撒可努多年的努力獲得社會肯定，獵人學校不只是太麻里的名勝之一，也吸引了日本、德國等國外的青少年來學習。

撒可努用一種特殊方式，為台東排灣族部落提升在地價值，這是無形的精神文明，讓原住民的文化在現代社會中有了新的影響。

販賣信任的「在地製造」

花蓮玉里「長良有機專區」的曾國旗，是一個典型的「農二代」，十多年前他放棄台北的建築師工作，返鄉協助父親耕種有機稻米。我一直認為，看見在地價值，並從中找到生機的關鍵，在於「人」。曾國旗就是一個典型的例子。

十多年前，他是當地唯一從事有機農業的農夫，他低頭苦幹，為自己的作物打出了品牌。然後，他結合當地其他的農夫，將所在的東豐社區一舉發展成有機村。這中間的艱難實在很難三言兩語說清楚，不過，現在曾國旗所在的這個社區，已經成為花蓮有機農業的代名詞之一。

他告訴我，有機農業不只是一個農業代名詞，也不是取決於農藥是否殘留，而是從地方開始，改變整個生活與態度。他並把這個理念推廣到當地小學，透過每週

在地經濟

一節有機農業的實作課，他希望下一代能學習尊重土地、愛護家鄉。

像曾國旗這樣的農二代，有越來越多的趨勢。年輕的他們甚至還擁有博、碩士學歷，或者曾經是科學園區的電子新貴。但是他們對過去沒有留戀，毅然決然選擇一個與土地、環境和平相處的方式重新展開他們的人生。

在雲林慈心農場吃到有機無花果時，那清甜的味道眞是令人驚豔。原來，台灣也可以種出如此新鮮碩大的無花果。雲嘉大穀倉，對台灣來說眞是無比珍貴的資產。

當我拿著麥克風，在媒體面前叨叨絮絮訴說什麼是「在地經濟」的時候，早有許多人一步一腳印踏在土地上，一點一滴地把這四個字化爲生活中的實踐了。

南投水里蛇窯則是另一種透過產業成功轉型，進而提升在地價值的範例。

水里蛇窯陶藝文化園區，是一個保留老式工廠加以改建的觀光園區，裡頭的蛇形柴窯，是台灣最古老的窯，也是少數還保留完整的柴窯。

本來，這個燒製陶缸的工廠已經沒落，附近許多業者早已關門大吉。不過，有一群人挺身而出，他們透過對老工廠、老柴窯的保留，讓舊設備有了新生命。現在，這些工廠已經成爲台灣歷史和工藝傳承的教育空間，它不僅爲當地開啓了觀光產業，更提供了許多就機會，帶動附近商業活動恢復生機。

水里的在地價值，也因爲一項產業的起死回生而被重新定義。

⊙──與其在外地流淚，不如留在家園流汗

嘉義東石有一位回鄉教書的年輕人跟我說：「我的家怎麼像漁網一樣，都是洞，什麼都留不住。」他的話其實一語道盡了過去幾十年台灣城鄉差距大，發展嚴重失衡，人口一直往都會區外移的現象。不過，他下定決心要做件不一樣的事情。他要往回走，待在家鄉爲下一代盡一點心力。我問他，難道不怕看不到未來？他拿著吉他，哼起羅大佑的《家》——

我的家庭我誕生的地方
有我童年時期最美的時光
那是後來我逃出的地方
也是我現在眼淚歸去的方向

唱完之後，他說：「與其在外流著淚思念我的家鄉，我爲什麼不把汗水滴在這個生我養我的地方呢？」

望著他鬢角初生的白髮，我不斷問自己：過去，我們到底爲這樣有心的年輕

人，爲我們共同愛的這個地方，少做了些什麼？

我想起那一次和參加大武山成年禮的年輕人，一同從平地走到登山口。沿途，我向一位女同學借裝備來「體驗」，十六公斤重的背包，就已經讓我在濕冷的山路上氣喘噓噓，差點走不到登山口。

到了登山口的臨別前，我問她，妳眞的可以嗎？

個頭不高的她，微笑而堅定的神情，我至今難忘。她說：「能克服沿路上的困難，堅定意志攻頂，才是我的成年禮呀！」

直到現在，我仍時常想起那些無畏的年輕身影，提醒我邁步前行。這一個章節要獻給那些一直爲台灣默默奮鬥的人，台灣的希望在「在地」，因爲在地人一直在找尋希望，這也是我一定要進行的功課。

05 原來我們做的遠遠不夠

「我們等妳好久了，怎麼這麼晚才來啊？」一個小女孩認出我，在公共廁所旁拉著我問。

時間是二〇一〇年我參選新北市長的後期。當天已接近晚上十點，我才匆匆從上一個行程飛奔到平溪。由於時間已經非常緊迫，我一到了就要上台說話，不過，我還是擠出一點時間，先溜到廟埕旁的公廁上廁所。腦袋裡面正在想等一下要講什麼，哪知道一出洗手間，便被幾個孩子圍住。

她們的天真迅速感染了我。我就跟她們聊了起來：「妹妹，妳們怎麼這麼晚還在外面？」我一邊牽著她，一邊催促著其他孩子往會場走；有的孩子說是跟著阿公來的，也有孩子大聲回答說，是被阿嬤帶著「一起來看蔡英文」。

我把他們帶往會場，演講的時候，我特地盯著台下看，我看到很多牽著孫子孫

女來晚會現場的阿公阿嬤，一眼望去幾乎看不到屬於青壯年紀的父母。

當阿公阿嬤變成孫子的爸媽……

我要講的事情其實大家不難猜到，就是隔代教養。在台灣許多地方，尤其往鄉下走，這已經是非常普遍的現象。當家長離開家鄉到外地工作，便把孩子留給老家的長輩照顧。某些地方政府在人口集中的地方，設立公共托育機構來減輕家長的照顧負擔，但在非都會區，政府能介入幫忙的資源和機會都不多，除非是弱勢貧窮家庭。

長久以來在學術圈和政務官的訓練，讓我習於做抽象而整體的政策思考。但是那晚，當我看到這些隔代教養的孩子時，腦中浮現了更實際的困惑：難道這些家庭，都不需要政府的幫忙嗎？要怎麼做，政府與社會才能具體又有效地幫這些家庭解決問題呢？

類似的問題一直停留在我腦海裡面。跟以前不同的是，在擔任黨主席時，我忙著參選或輔選，比較沒有時間好好來端詳這些問題，現在，我則有了較為充分的時間來找答案。

被黑道抱怨「找不到小弟」的陳爸

透過朋友的介紹，我得知在台東有個很特別的「書屋」，他們願意給我一個機會去看看那裡運作的情況。

迎著太平洋的風，我來到了知本。「建和書屋」在這裡已經有了十多年的歷史，負責的陳俊朗以課後伴讀的方式，照顧了許多孩子。

原來在台北工作的陳俊朗，十多年前毅然放下手邊的生意，全家返鄉。一開始他只需照顧兩個兒子，現在，他成了照顧上千名弱勢孩童的「陳爸」。

黝黑的陳爸有點得意的說：「當地的黑道都抱怨找不到『小弟』了！」

起初，他只是在自家院子教兒子和兒子的同學讀書，有時還要先煮飯餵飽他們，才能繼續寫作業。爲了給孩子更好的教育，他自己夜裡還得找資料，補進度。

「最難受的是，常常得先替那些孩子擦藥，才能教功課。因爲這些弱勢孩子在學校不是被體罰、被霸凌，就是被酒醉的爸媽家暴，滿身傷痕，怎麼可能安心讀書？」說起十多年前的事，陳爸的心情依然激動。

書屋不只提供孩子寫功課與念書的環境，還安排運動、音樂等多元課程，以彌補學校與家庭教育不足。陳爸也要求孩子們要利用假日做社區服務，「有所得，相

對也要懂得付出」，這是陳爸在教導孩子們時的堅持。

我問他：「政府不是對弱勢家庭有補助嗎？那些補助有沒有提供什麼樣的幫助？」

陳爸聽了我的問題之後反問我：「幫助？當補助讓孩子成爲家中唯一的經濟支柱，家庭關係會好嗎？」

他的話一語點出政府的盲點。父母找不到工作，生活沒有目標，而孩子的問題來自家庭，家庭問題不解決，光是課輔並不足以讓孩子健全的成長。簡單地說，這不只是錢的問題而已。所以，從幾年前開始，陳爸也開始協助家長戒毒、戒酒、戒賭，開魚池、闢菜園，提供工作機會給他們。這樣做的結果便開啓了一個正面的循環，很多受過幫助的家長也跟著投入改造社區文化的行列。

他以民間力量直接進入社區處理病根，把家庭、學校和學生三方面連結起來。同時他把社區帶進來，用社區照顧和照養，來補強家庭功能弱化和學校功能不足的問題。

這種實踐力量實在令人印象深刻，不過，同一時間，長年在政治領域工作的我，卻不得不反省，政府的資源爲什麼無法下在刀口，做有效運用呢？

我不能只是讚嘆，我要能加入他們

我們在思考政策時，主要會從社會整體面評估，看數字、看概況。但實際在人民的生活中，資源的分配如何被使用，卻不是能從數字裡顯現的。

建和書屋的例子讓我們看到，行政系統從家庭和學校兩條路徑提供資源，但這些資源卻無法解決孩子面臨的眞實難題。

政府做不到的，民間就自己扛起來做。書屋的模式已進行十四年，這種從社區著手的路徑提供了一個新的模式，讓我感受到民間擁有無窮的潛力，也有無盡的力量。

所以，話說回來，我能爲像陳爸這些人做什麼？離開知本之後，我必須回答這個問題，我知道自己不能只是讚嘆這股民間的力量，我應該加入他們，爲他們做一點事情。因爲在其他地方一定也有許多像陳爸這樣的人，對社區有想法和熱情。我告訴基金會的幕僚，我們要做爲一個平台，匯集資源，來幫忙進行這樣的照養體系。這也是「小英基金會」存在的目的之一，我們可以善用自己做爲民間團體的優勢，我們可以在政府之外，匯聚社會資源來幫助弱勢的孩子，讓他們在成長的這條路上，有著較爲公平的機會。

教育，為何讓部落的孩子失了自信？

爲了找尋這樣的可能性，我又走訪了台東巴喜告部落的桃源國小，那裡有位鄭漢文校長。

鄭校長雖然是漢人，但他對於原住民文化的傳承教育工作，有著深深的使命感。他告訴我：「在原住民部落的教育不應把孩子教成漢人，而應教導孩子們認識自己的部落文化，尊重自己的文化傳統。」

他還說，曾有部落耆老對他很不滿：「我們都把孩子給你們教了六年，你們還想怎樣嘛！」

那句話敲醒了他，原來，正統的學校教育制度對原住民而言，是另一種文化。爲了讓孩子學習漢人的教育制度，原住民文化反而失去了傳承的機會。

部落裡的孩子，不僅面對資源落差帶來的教育弱勢，也因爲文化差異，而產生文化弱勢。

鄭校長提醒我觀察低年級的孩童與高年級孩童的差別。低年級的孩童往往有著慧黠的眼神，身子與腦袋機敏又靈巧。他們會向我們飛奔而來，跟鄭校長撒嬌，也跟我問好，聒噪的你一言我一語，急著表達自己，熱情直接的肢體語言很有感染

力。

可是，高年級的孩子就略微不同。他們在正規體制裡被教育了幾年，逐漸失去了眼裡的光采，肢體表達上變得退縮，笑容轉為靦腆，也沉默多了。我知道，是我們的教育讓他們被馴化，失去了自信。

家穩定了，孩子就安心了

除了教育，讓他們失去自信的，還有整個大環境。

在部落，父母沒有合適的就業環境。換句話說，這裡的情況和前述知本的故事一樣，如果要解決偏鄉裡的教育問題，不能只從教育面著手。

鄭校長也看到了這一點，所以他在部落中設立了木工坊、布工坊等，讓父母有了留在部落工作的機會。他說：「家長做工養家，勤奮的精神會被孩子看到，被社區肯定，自我價值就浮上來。如果只是靠補助過日子，孩子會覺得父母沒用，內心深層的悲苦，無力發洩。親子雙方的心情都很不好受。」

當我造訪太麻里的「向陽薪傳木工坊」的時候，我看到那裡有各種木製生活用品及小擺設整齊的陳列，它們沒有塗漆上油，指尖便可感觸到細微的深淺木紋，自然的原色透著時光與漂流木之間的對話，這些都是獨一無二的作品，說它們是藝術

品也不爲過。

一旦父母有了工作，家中經濟情況便獲得改善。家穩定了，孩子的心定了，教育問題就能解決了。

我們在談政策或做學問時，講究的是一體性、系統化。但人的生活卻無法系統化，因爲人是多樣的，每一個人都是獨特的，以一體化來管理這個社會，就會喪失多元性。

我們坐在辦公室裡思考決策時，往往爲了效率，會向系統與標準化傾斜，只有來到現場親身體會，才能理解以往政策的局限。

幾位返鄉的原住民青年，在鄭校長的鼓勵之下，自己動手彙編布農族辭典；部落耆老也被邀請，在學校裡教授傳統文化課程，讓界線被穿越，讓孩子們在每天生活的教育現場，就能學習自己族裡的文化。

快樂學習協會：決心做偏鄉孩子的「路燈」

同樣的，在嘉義東石，吳念眞導演和圓神出版社簡志忠社長，正和一群朋友成立「快樂學習協會」，爲偏鄉學童提供課後輔導。

起因是來自於紙風車基金會某次下鄉爲孩子搭台演戲後，吳導收到一位老師的

長信。信裡寫著，孩子從來沒看過這樣的演出，興奮極了，但這場演出就像是漂亮的煙火，放完後，一切還是回到原來的樣子。偏鄉的孩子們下課後無處可去，四處遊蕩，僅有課業跟不上還算好，不好的結局則是岔入歧途，一輩子被耽誤。因此，吳導和幾位朋友聯合起來，決心要做偏鄉孩子的「路燈」。

台灣社會真的有許多人，願意出力，共同解決下一代的困境。在吳導和簡社長的計畫帶領之下，小英基金會也找到了施力點。

這裡被命名為「孩子的秘密基地」。在課輔教室裡，我看到一個戴眼鏡的小男孩表情好認真，聽著年輕的課輔老師耐心解說九九乘法表。

我無法預測眼前的這個小男孩，幾年之後的人生發展；但我能肯定的是，有了這個「秘密基地」，他的未來就出現了正向發展的機會。

點亮台灣

沿著走廊，一間間教室走過，看著教室裡天真童稚的臉龐，看著那些付出青春熱情的青年。我心裡有一種很飽滿的感覺，像是得到一份意外的禮物。

政府的力量有限，但是，在台灣，在這個充滿向上力量的社會裡，想做事的人一點都不孤單。找到方法，找到人，找到力量，我們就會為那些原本沒有出口的人

找到出口。

陳爸、鄭校長、吳導、簡社長，以及無數的人們，他們都願意當路燈，也都在當路燈。電影《一代宗師》有這麼一句：「有燈就有人。」這些路燈越多，這塊土地就會減少令人感到無力的陰暗角落。

06 此身已非我獨有

齊柏林導演的《看見台灣》紀錄片，用空拍攝影機從高處往下拍，拍出了台灣這塊國土的美麗與創傷。我不是導演，也沒有專業的器材以及他細膩的巧思，不過，這些年來，我都告訴自己，要用我的方式來「看見台灣」——就是用雙腳來感受台灣。從高處看，我們會看到不一樣的台灣，同樣的，當我們用雙腳去踏遍每一寸土地時，那種溫度與感動，我相信會感染任何人的心靈。

比如說，每一次參與台灣寶島行善義工團的行動。

孩子，我們一起翻轉未來吧！

屏東枋山高中國中部的正成分校，全校只剩二十六名學生和六位教師。校舍年

久失修，牆壁龜裂，屋頂漏水，隨時得面臨廢校的命運。不過，一旦眞的廢校，學生就得搭一個小時的車到鄰近的枋山或車城上學。如果教育是社會公平正義的一個重要機制，爲什麼這些孩子獲得受教權的方式卻要比別人辛苦？

更令人不捨的是，這裡有六成的學生是來自單親或弱勢家庭。廢校之後，勢必又多出一筆交通經費。對這些孩童的家長來說，這額外的支出也將讓他們的生計更加困難。加上廢校將帶來教師離職、社區文化連結斷根等延伸後果，爲了保住學校，他們後來想出一個辦法，要靠賣芒果乾來籌措經費整修校舍。不過，這樣的收入有如杯水車薪，根本難以達成目標。

孩子們即將失去學校的消息傳到了台灣寶島行善義工團的耳裡。他們努力募集資源，號召全台數百名義工，來到正成分校，幫學校修繕校舍。小英志工團的朋友們也加入了這個拯救校舍的行動。

志工：傳遞希望的種子

台灣寶島行善義工團是在九二一大地震後聚集產生的團體。平日，大家各有各的職業，在不同領域中打拚，到了假日便聚集在一起，協助整建偏鄉弱勢團體的硬體建築。

如果沒有親自遇到這些人，很難相信這個社會的愛與關懷會如此豐盛。在假日的時候，他們大可以出去遊山玩水，或在家睡覺，不過，就是一股使命感與意志力，讓他們在偏鄉一次又一次的集合。不論是爬上屋頂刷油漆、鋪地板、架輕鋼架的天花板、用釘槍固定窗台，還是拿起電動工具鎖螺絲、鑽洞……等，他們從不喊累。從屏東枋山到台南玉井、高雄那瑪夏等，他們也從不嫌遠。寶島義工團的每個行程，都讓我有一種「何其有幸」能加入他們的光榮。

我曾問這些志工們爲什麼來服務？一位從桃園南下的年輕人指著旁邊的人說：「我是因爲這些人才來的。」資深的志工阿伯聽了之後，拍著年輕人的肩膀說：「這工是越做越爽，只有在這裡才可以看到對台灣的愛。」

他們像是在傳遞希望的種子，可以不相識，卻相互鼓舞，用心在同一件助人的事情。

台灣最珍貴的力量就在這些不求個人名利的人身上，每次看到這些朋友，我都會覺得，台灣還有好多事可以做。

除了感動之外，我眞的很珍惜那幾次實作經驗，因爲我深刻體會到做爲團隊一分子的本分。

想成就大事，就要當一個能凝聚最多力量的人

在施工的現場，我只是一名志工，要聽從總指揮的分工領導，要接受組長對技術的精確要求，並且遵守工作規範。

譬如，為了工作安全，在屋頂上刷油漆時，我必須要以安全索拴著腰，並且信任我的同伴；也學到當油漆刷在水泥表面時，原來必須要來來回回多塗幾次、才能刷勻的訣竅。看似再平常不過的工作，卻是花上許多的工夫，台上那一分鐘，台下可是十年功。

在幾次參與的過程中，我觀察到，現場指揮者的權威和調度，會影響到團隊的效率。他的經驗、判斷都必須準確、專業，更要懂得協調，才能讓有著不同背景的志工順利合作，按照工序把每階段的工程按步驟完成。

我反省到，「術業有專攻」，一個人無論在政治上再有權力，也不可能事事都懂、樣樣都會。要成就一件大事，重點不在於他要什麼都懂，而在於能不能讓最多的力量結合在一起。

這樣子的觀察也曾經出現在我參加「紙風車368鄉鎮市區兒童藝術工程」的啓動儀式，那是企業界、藝文界、社會團體，以及不同政黨的人齊聚一堂。只要起

心動念是良善的，平時政治立場不盡相同的人，都願意爲了台灣的孩子而凝聚在一起，出錢又出力。

從冷靜小英到熱情小英

一般來說，我們都認爲政治與政策制訂者會領導社會的改變。不過這些年來，我逐漸體會到，政治人物該跟社會學習借鏡的地方實在太多了。社會可以一呼百諾，衆志成城。政治若落入善於計算，常難以共同成就大事。如果我要繼續走政治這條路，我就必須期許自己，要做那個把大家都湊在一起，共同超越政治藩籬來做事的人。

對我來說，要達到這個目標，首先是必須改變自己。

從事政治工作之後，常有朋友建議我應該要「熱情主動一點」，很多人覺得我的個性太沉靜、太冷，缺乏渲染力。其實，我想說的是，我並不是沒有熱情，對於人的種種傷痛，我有著跟別人一樣多的感同身受。不過，我總是覺得政治領導人首要的責任是管理自己的情緒。理由很簡單，因爲，我們的情緒經過媒體報導，會有更大的傳染力。

社會大衆會因爲我們的喜怒哀樂而喜怒哀樂。從事公職這麼多年來，我一直是

這樣嚴格的自我要求。然而，現在的我卻有不一樣的想法，政治人物的熱情必須用對地方，熱情若能感染更多人來參與正確的事，我就應該努力調整自己的角色與心境。若打開自己能讓世界因你而更好，那過於冷靜反而是在逃避責任。

豁出去了！

二〇一三年底，我應邀參加一場爲天主教善牧基金會募款的愛心義賣活動，現場有兩幅油畫名作要拍賣。不過，因近年來經濟不是很景氣，相對地，企業對於義賣活動的反應也比較保守。

面對一個不是很熱的場子，我應該怎麼做？這是我那天在台上必須回答的問題。我可以回到過去那位冷靜政務官的角色，我也可以拿出我的熱情，在現場豁出去地爲他們募得最高的金額。

我選擇了後者。

我眞是竭盡力氣，使出看家本領來炒熱場子，我希望有人給我面子而大力支持。不過，說來慚愧，事情並沒有很順利。我看到台下一張張面孔露著疑惑的表情，好像是他們從沒有看過這樣的蔡英文似的。也許是看到我賣力演出，最後總算有長虹建設董事長出了高價，讓我順利完成這個有意義的任務。

下了台，我想起台東鄭漢文校長的一段話，他對於原住民文化的傳承，有著深深的使命。他說，在教育界應該沒有所謂缺乏熱忱的老師，教育現場缺乏的是一個方向，或者周邊缺乏一種熱忱的感染氛圍，「如果你的熱忱散發出來，別人就會跟著熱了，像體溫一樣。」

熱情並不只是燃燒自己，而是相互照耀、相互感染，唯有這樣的熱情才能一直持續下去。

未來，我們要成就很多重要的事

有一次從東部走蘇花公路回台北，難得天清氣朗。危崖逼岸，汪洋臨側，我睡意全消，想著回台北後可以做些什麼計畫。

同車的幕僚突然問我：「主席，妳以前開車環島時，都自己開這條路嗎？很久沒開車了吧？想不想試試？」

我望了望窗外的藍天，搖搖頭告訴她，不開了，每天的行程難免疲累，而且心思總是在想其他的事，在這種狀況下開車會有安全的顧慮，我不能出事，我內心告訴自己：「從接任黨主席之後，我早已不只屬於自己的了。」

當了黨主席之後，對那些原來很喜歡，卻不能再做的事，我都必須忍耐。要把

心中的渴望壓抑下來，因爲，未來有更重要的事要成就。
不過，我並不特別。因爲，有更多的人其實早就已經默默爲別人而活。

07 換個視野看台灣

我的心裡隨時有張地圖，這是多年來從事國際貿易談判專家的習慣。我的地圖上面有我個人的足跡，也有各國的政治、經濟，與歷史人文的基本資料。然而，我必須承認，這些資料是以大國爲主。世界如此之大，有很多我沒去過的地方與盲點，我一直想找機會把它們塡補起來。

多元世界觀，這樣看台灣

基金會籌備時，有一天路過台大附近，看到慕名已久的「台灣ㄟ店」，回來之後便請幕僚安排比較充裕的時間專程來看，那一天剛好老闆吳成三也在店裡。

吳老闆帶著我逛店裡面的「收藏」，他特別介紹我看一幅「南島民族的台灣」

的地圖。

在那地圖上，台灣橫躺著，基隆在左，高雄在右。

店裡還有其它台灣橫躺的地圖，這些地圖吸引了我的目光。熟悉台灣「站著」的我們，對這些不同方向的地圖有一種奇怪的不適應。不過，仔細想想，很久之前的人們，的確是用這種方式在看世界。看台灣的方式有很多種，它無關政治意識型態，而是反應了繪圖者所處當下的世界觀，以及繪圖者當時的目的。

十七世紀的歐洲航海圖，就常將台灣橫著畫，這道理不難懂，他們的船無論走印度洋過來，或者橫越太平洋，從甲板上看到的台灣，就是橫躺著。

這種古代的眼光對現代的人們來說，除了新奇之外，也是一種提醒，提醒我們永遠要保持從不同的觀點來看世界的心態。

台灣看到的世界，還不夠大

二〇一二年總統大選時，我常說「要把世界帶進台灣」。不過，截至目前爲止，我們所看到的世界仍然不夠大。在這個脈絡下，我決定多去不熟悉的國度走走，看看其他國家的處境，從「框架外」來思考，也許會有不一樣的心境與視野。

經過思考與討論，我規畫前往的是印度、印尼和以色列。這三個國家位居不同

的地理位置，它們各自有其國際與國內的難題，我要去看，去學的，就是它們如何因應這些問題。

印度：由下而上的新契機

第一站是印度。一九八〇年代在英國讀書時，我有很多來自印度的同學，他們的課業表現總是讓人羨慕。不管是在宿舍或是學生分租的公寓中，經常充滿印度香料的氣味。街邊小店很多是印度人經營，提供學生日常生活必需品。那時我很愛用的一把陶製小茶壺，就是在印度小店鋪買的。

開始工作後，在各界職場上看到很多充滿自信的印度銀行家、會計師、律師、工程師、科學家，活躍在美國、英國，及亞洲最進步的城市中。

這是我對印度的初步印象。不過，當我眞的進入這國家時，我所看到的是另一種面貌。

從新德里到孟買，我們選擇搭乘長途火車，在搖晃、陳舊，充滿煙塵的臥鋪車廂內，不只擠滿乘客，車頂上也爬了人。很多途中上來的農民，像是要去孟買工作。

過去二十年，印度經濟加速發展，不過，長久以來，一直受困於衆多的貧窮與

文盲人口。都會化速度緩慢，導致該國經濟發展的動能受到一定程度的限制。

孟買，正如許多迅速發展的大都市，貧富不均的問題極為嚴重。這是一個傳統與現代並存的都市，也是一個富裕與貧窮比鄰而居的都市。高樓大廈旁的小巷，有著老人窩居的棚戶和貧民窟。這些地方生活條件相當糟；政府建設的速度，跟不上湧入城市的農村人口的速度，這樣的落差造成印度大城市裡的貧民窟數量，一直居高不下。

我們去拜訪當地一位新興創業者，這名女性創辦人只是一位小市民。在種姓制度嚴密，性別高度歧視的印度，她的所作所為顯得更為難能可貴。這裡有她的理想，她融合了都市計畫以及社區福利的概念，成功地打造了一個社會企業社區。

她的成功心法並不複雜。一般都市計畫多是由上而下，政府優先考慮都市發展，未必先將市民需求納入考量。而她正好相反，先去詢問村落的需要，從「人」的需求出發，來研擬都市更新的方案。

儘管這種「創業」無法創造太多GDP（國內生產總值），不過，它卻有效地翻轉了都市更新規畫的考量順序。都市是為人而存在，這種由非政府組織所主導而建構而成的社會企業模式，值得我們借鏡參考。

印尼：年輕勢力正抬頭

我的第二站是印尼。在雅加達也有嚴重的貧富差距，跟印度一樣，印尼的公民團體力量近年有越來越活躍的趨勢，這些團體積極參與政治民主、社區開發、公共服務等社會改造和民主深化的工作。

這個國家有二．四億人口，特別値得一提的是，一半的人口是三十歲以下。當地友人說，現在印尼年輕人最流行的假日活動就是逛街購物。這些年輕人身上有著驚人的消費力，這大概解釋了爲什麼我們在雅加達市區逛街的時候，走幾步就是購物中心或超市。在這些琳瑯滿目的商店中，來自台灣的鼎泰豐也在當地購物中心多處設點，它是當地人眼中的名店。

另外，當地年輕人創業的動機非常高，他們利用網路做生意，各種充滿創意故事在社群網站上流傳。比如說，有人就利用網路開辦預約摩托車快遞與搭車，在塞車嚴重的雅加達，據說生意很不錯。

除了中國之外，印度和印尼是亞洲國家中，人口最多的國家。而且，它們擁有一個優勢，這兩國的年輕人口是亞洲之最。正因爲人口結構的年輕化，它們的經濟動能可望高度成長，很多觀察家指出，它們是未來亞洲，甚至全球市場中最具競爭

潛力的國家之一。

面對這種情況，不禁讓我想到，台灣與中國都是人口嚴重老化的國家，中國這幾年一直積極布局印尼年輕人的市場，相形之下，台灣在印尼的努力，明顯落後中國。

在和印尼政府、國會及企業界、智庫深入對談時，也印證我這樣的觀察。印尼目前主導《區域全面經濟夥伴協定》（RCEP），台灣一直說要加入，卻沒有積極和印尼建構緊密關係。而對台灣這樣一個國家來說，全面對外展開經貿關係，才是生存的好出路。

台灣與印尼之間飛航時間不過五個小時，空間上的距離並不遠，不過兩個國家的人民與政府之間卻很生疏。台灣和東南亞國家的心理距離大過於地理距離。一直以來，台灣就從北京、華府的角度看待鄰國，這「大國角度」無形中影響了視野，阻礙了我們走出自己的路。

印尼和印度都不是親美親中的國家。印尼在東協事務上自主性高，比起菲律賓、越南等國，較不受美、中兩國的影響，在國際空間上它得以維持一種微妙的平衡關係。

而印度則與中國因邊界問題，長期有衝突，印度在冷戰後發展全方位外交，與美、俄形成安全夥伴，和東協加強合作，與以色列保持友好。

一個是東協領頭，一個是南亞老大，這兩個國家都有很獨特的生存之道。隨著地緣政治的變遷，我認爲台灣有很多機會可以和這兩大國發展更緊密的關係，開拓更多生存空間。

以色列：為求生存的必要霸道

我的第三站到了以色列。它更是一個在艱難的國際空間中，努力求生存的國家。

當我訪問印度時，我對他們人才培育和國防研發的實力留下深刻的印象；當我造訪以色列時，我發現這裡的經驗也同樣值得台灣借鏡。這個國家以彈丸之地躍升爲全球創新工廠，光是科技創新便對GDP的貢獻超過九成。

在以色列國家科學院參訪，從介紹影片中看到兩位年約七、八十歲的老太太，她們都是國內最受敬重的科學家。兩位女士擁有學術桂冠，年逾花甲仍致力提升國家科技，不難想像以色列的科技研發多麼蓬勃。

政府重視教育，特別是科技的領域。政府鼓勵創業，在該國的大學及專科學校都有針對創業而提供的訓練課程。更獨特的是，年輕人大學畢業後要服役四年，男女皆然。四年軍隊生活讓年輕人學習團隊合作與執行力，這對創業所需的幫助很

大。

因砲火不止，以色列的軍隊和全民息息相關。走在耶路撒冷的傳統市場裡，遇到一位年輕女兵，著短裙的她，背著自動步槍走過市集，周遭的居民、觀光客看來都很自在。

以色列軍隊是以科技爲導向，著重指揮與統合訓練。由於以人才培育爲重點，軍方人員退役後可投入重要產業，在這個國家中，高級工程師與研究人員到處都有，他們受惠於軍中的科技訓練、領導統合的能力，以及訓練解決問題的取向。這樣子的國防與產業成功的連結模式，非常值得台灣學習。

以色列也讓我重新思考「民主」這件事。我們剛抵達時就遇上外交部大罷工，簽證差點發不下來。一名外交部官員開門見山對我說：「我們的勞動條件，跟現在的薪水根本不成正比！」後來聽接待的公務員自嘲，當前的政府體制一團混亂，沒有任何一個政黨取得絕對多數，國會有數十個大小政黨，立場各異、相互競爭，醞釀倒閣更是家常便飯。施政出問題時，民眾一定上街抗議。不過，在維護國家利益的特定議題上，不同的政黨卻又能攜手合作。

我們這群有過公職經驗的旅人，馬上感受到這個復國民族面對生存問題的困難。想起在飛機上才看到一則以色列總理納坦亞胡的新聞，他說：「不論以色列人怎麼做，全世界都覺得我們很討厭。」

以色列和中東國家劍拔弩張，與巴勒斯坦衝突難有和平進展，每天都面對生存威脅，危機感催生出的強烈求生意識，讓人民每天爲理念、權利、生存而爭鬥不懈。

如果說，以色列人有著復國民族的剛毅，台灣則是有著亞熱帶海島型的寬厚與熱情，不過，兩國卻處在類似的遭遇。以色列人口和國土都十分稀缺，面對強敵環伺的阿拉伯國家；而台灣則是自然資源缺乏，還要面對著來自對岸的強大政經壓力。

在對外關係上，以色列「退一步即無死所」的主動、強悍作風，常遭到批評，在國際社會中也常被孤立。他們知道，爲求生存必須冒犯很多人，必須對應得的一切據理力爭。這種爲求生存而必須的「霸道」，可說是具體而微的以色列精神。

國家可以不大，但志氣要很大。國家可以在患難之中，不過，我們需要有一種意志、一種精神，讓別人一目了然，不敢侵犯。

要改變台灣，一定要突破種種外在力量加諸在我們身上的框框，勇敢走出去。世界很大，台灣一定可以找到一條生存之路。

社會小英
Chapter 3

自由廣場

NO NUKE
反核無懼

民主
自由

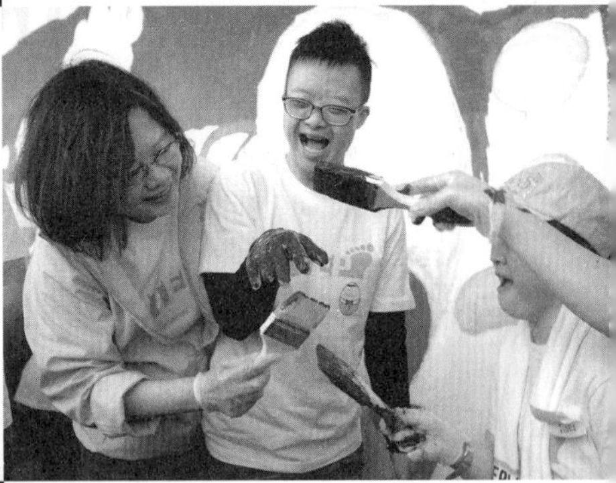

DIRTY

08

動地而來的吶喊聲

二〇一二年入秋時節，台灣的經濟和景氣情況來到比金融風暴更糟的低點，物價飆升到金融風暴以來的新高。雪上加霜的是，立法院審查總預算時，勞保基金隱藏了巨大的債務，破產危機浮上檯面；同一時間，沿襲四十年的退休軍公教人員年終慰問金違法編列一事也被揭發。那時，小英基金會正在籌辦「台灣經濟發展新模式」工作坊，參與的財經學者都憂心忡忡，感到一股山雨欲來的氣氛。

總是無解的疑惑

經濟問題延燒成社會分配問題，人民對政府的不滿，從感嘆政府無能，到揭發政府不義。最壞的情況，一步步逼近了。

那時，我帶著不安的心情赴美謝票。在美期間，我公開向馬英九總統建議，政府應出面召開國是會議[1]，來解決眼前國家的財政危機，以及退休年金面臨破產的問題。

這個動作引發了很多政治動機的討論與揣測。針對我的建議，總統府表示，一切應回歸體制處理。總統給的答案，我一點都不意外，不過，我的心情卻非常沉重。這已經不是我第一次呼籲執政黨要召開國是會議，如果仔細看一看這個國家，任何人都會發現，財政問題已經到了非改革不可的地步了。這些問題非常複雜，也極度專業，需要集思廣益，廣納社會各方意見，然後取得共識，再果斷執行。

我可以理解為什麼馬總統不願意召開國是會議，他其實是想告訴國人，情況沒這麼糟，一切都在政府的掌控之中。如果他召開國是會議，某種程度來說，正好證明了自己的無能為力。不過，如果體制可以解決年金問題，民間就不會有這麼多焦慮，勞保也不會快被擠兌到要提前破產了。

如果召開國是會議，我們就會有一個平台，讓人民能參與決策，政府與政黨和人民透過對話，透過集體協商，把過去累積已久所造成的失衡現象扭轉過來。這不是黨對黨的協商，而是社會參與。更重要的是，陷入不安的人民，可以有一個期待。期待這個國家將會做出重大的決定，他們會參與這個國家的新方向，然後，在這個新方向上，找到自己的位置。

世界上，許多民主國家都曾經有過類似的機制。比如說，美國在二〇一二總統大選後，立即針對財政懸崖的赤字危機展開對話。我心裡其實很感嘆，同樣是民主國家，爲什麼台灣無法誠實面對呢？擱置問題只會讓信心一點一滴地瓦解，而一旦信心瓦解，對國家整體將會造成難以逆轉的傷害。

難道只能上街頭？

二〇一二年敗選的那個晚上，我曾說：「希望馬總統往後四年，要傾聽人民的聲音，要用心執政，要公平地照顧每一個人民，千萬不要辜負人民的期待。」我的這些話，每一字、每一句都發自我的內心。政治人物的責任是要給人民一個更好的生活，如果他做到了，那誰勝選誰敗選這件事根本無足輕重。他會贏得包括我在內的台灣人民的敬重。不過，從他成功連任以來，我卻看到他只想利用職位來取得歷史定位，他無心領導這個國家，他跟老百姓好像活在平行時空之中，以至於完全聽不到人民正在吶喊。

在不安與焦慮的社會氛圍中，這些年來，公民社會的力量紛紛崛起，理由很簡單，如果政府無法解決問題、或甚至成爲問題的根源，人民只好自己拯救。從環評屢戰屢敗的國光石化開發、強行徵收的苗栗大埔案、文林苑都市更新爭議，到反媒

體壟斷，越來越多的學生、文化工作者，以及不分黨派的民衆挺身而出，他們不再冷漠，不再對公共議題置身事外。

面對這一波波來自民間的憤怒，民進黨感受到責無旁貸的壓力。在二〇一三年的一月十三日，黨中央舉辦了一場「火大嗆馬」遊行。當天有十萬人民走上街頭，除了來自中南部的傳統支持者外，也有不少是自行參加的民衆，包括這幾年對政府不滿的年輕人。

當時，我已經不是黨主席，但是我沒有缺席。走到凱達格蘭大道時，遇到一位社運界的朋友，他問我：「除了嗆馬下台和罷免藍委之外，遊行後可以改變什麼嗎？」

他說，政黨比人民更有資源，可以使用的工具有很多。「馬英九爲什麼不理國是會議？難道他聽不到民怨嗎？他當然知道。不過，因爲他再也不用參加選舉了，民調再低，也不必怕在野黨上街頭。」

當一個政府「什麼也不怕了」，對人民來說，究竟是福還是禍？反過來說，當一個在野黨，在體制內無法要求執政當局改變，而必須回到街頭不斷發動抗爭時，對人民來說，究竟是福還是禍？

我知道他的憂慮，他的憂慮也是我的憂慮。當遊行的隊伍抵達晚會現場時，除了身體上的疲憊之外，我心中有一股極深的自責。輪到我演講時，站在台上往台下

望，我想起二〇一二年的敗選，我自責努力不夠，沒能幫民進黨贏回政權，也想起這個國家過去一年來的種種沉淪，心頭一酸，不由自主地說：「沒選上，眞的很對不起，讓大家辛苦了。」

台下的人群聽我這樣講，先是沉默了一下，然後一波波鼓勵的聲音此起彼落。我看著他們，我知道他們沒有一絲絲怪我的意思，這更加深了我心中的自責。民進黨有著全世界最可愛的一群支持者，越是挫折的年代，這些支持者回饋給我們的就越溫暖。

不過，我心中感受到的溫暖並沒有辦法扭轉整個局勢。台灣的政局果然因爲經濟惡化開始動盪，江宜樺匆忙接替陳冲組閣。江院長一上任，就拋出要以公投來決定核四續建與否的議題。

我不願意解釋他的表態是基於政治算計，不過，政治就是這樣，一旦一方發動了新攻勢，另外一方的人便會想辦法來因應新局勢。後來所發生的事情證明這個規律，江院長的舉動不僅點燃了二〇一三年公民運動的引信，也爲日後許多公民運動提供橫向串連的平台。

反核，凝聚社會力量的起點

日本核災後，台灣是否要續建核四，一直是民眾高度關注的議題。二〇一二年大選，核四議題也是雙方攻防的重點之一。隨著燃料棒即將在二〇一三年九月填入，展開試營運，這個動作一旦完成，台灣就多了一座核電廠，事情就再也無法逆轉。可想而知，民間的不安與反彈也隨之高漲。對很多長期投身反核的人士來說，這是生死存亡的關頭。

社會動起來了。在眾多反核的團體中，讓我特別關注的是一個新現象。富邦金控董事長夫人陳藹玲，號召十萬名媽媽成立「媽媽監督核電聯盟」。「媽媽」與「反核」這兩組形象結合在一起，再加上名人效應的刺激，反核陣營的能量不斷上升，連帶加速帶動社會力的集聚。這一股公民力量的集結，讓民進黨同時進行的停建案連署也受到更多的關注。

三月來臨，反核團體舉行了大遊行。這場遊行盛況空前，數十萬人走在台北街頭。我也參與了這次遊行，明顯感受到氣氛不同於政治遊行，其中一個指標是：娃娃車比宣傳車還多。這個現象告訴我們，這次是公民自己挺身而出，不是朝野政治的對決。

民進黨聽見人民的聲音了嗎？

民進黨並非這場遊行的發起人，對一個長期反核的政黨來說，這是一則以喜一則以憂的局勢。可喜的是，自發性的社會力已經取得了主導權，令我憂心的是，民進黨在這個議題上，雖然不是反核團體批判的焦點，但黨的角色逐漸邊緣化，卻是一個不爭的事實。人民跳過在野的民進黨，直接走上街頭要求執政的國民黨改變，成為過去這幾年來共同的社運模式。對很多人來說，民進黨已經失去了社會議題的號召力。

別的不說，光看遊行的人數就知道，這一股趨勢對民進黨正是警訊。不靠政治動員，反核上街的人數和氣勢，就足以對執政黨和我們產生了巨大的壓力。國民黨中生代的朱立倫、郝龍斌、丁守中等率先表態反續建，而民進黨則宣示將核四公投併入二〇一四年的九合一大選舉行，就這樣，兩個政黨把戰場從街頭拉到立法院，核四公投案的對決有如箭在弦上，不得不發。

對很多人來說，這次反核遊行是一場罕見的大規模公共議題運動。他們在街頭上提出訴求，然後便解散回家。有位國際媒體記者和我談起這件事，覺得台灣民眾滿不可思議的，他告訴我，這在國外肯定是持續抗議到有答案，才會終止。我則回

答，這二十多萬人回家後，剩下來的事情，就是政黨必須替他們解決了。

其實，必須特別強調的是，核四議題的街頭行動並沒有停止。柯一正導演、作家小野等藝文界人士，在自由廣場前舉辦「不要核四、五六」運動，每週五晚上六點固定集會，既溫柔又堅定的持續宣傳反核。接連一百週，即使颱風夜也風雨無阻。一次的遊行雖然結束，議題依然還有溫度。政黨在立法院的對決也仍持續，民進黨知道，這一次我們身後有堅強而豐沛的社會力在支持我們的行動。委員們占住議場和國民黨拉鋸，我們不會退，也不能退，最後江宜樺院長的行政院版本公投案沒過關。

這一役，我們看似擋下了國民黨充滿政治算計的公投案，但人民贏了嗎？這幾十萬人，和那些沒有上街頭抗議的沉默大眾，他們要的「停建」以及專業的安全評估，還是沒有結果。

台灣史上空前的公民運動：二十五萬白衫軍

在這之後，發生了一件震驚全國的事件：二〇一三年七月，陸軍下士洪仲丘在軍中疑因管教不當致死的命案爆發。政治過程總是連續的，兩個看似無關的議題，有時候則會產生連動的效應。我們幾乎可以這樣說，真正讓國民黨棄守核四公投這

個議題的，並非民進黨，而是因為洪仲丘事件所引發的二十五萬白衫軍。

二〇一三年八月三日，這場台灣史上空前的公民運動「萬人送仲丘」，撼動了馬英九政府。它迫使政府修法，將原本獨立的軍審體系，全面轉往一般司法；一連串改善軍紀與人權、軍中冤案調查、軍中高階人事調整等複雜善後措施，也陸續展開。但也因為這鋪天蓋地而來的案件，使核四公投的朝野攻防戰，在輿論轉向的情況下，暫被擱下。

但更重要的是，人民把對國光石化、文林苑、大埔事件、核四等所有的不滿都串聯起來，凝聚在當天的凱道上。那一幕眞是令人動容，隔天報紙上刊登出來的空照圖，讓人意識到，一個新的時代似乎快要到來。

急速升溫的公民力量透露一個訊息：政府與人民的信賴關係正在急速崩解，人民既對失能政府不滿，又對朝野政黨不耐，在無可期待之下，決定挺身而出成為國家改革的動力。

對我來說，那是一段心情很複雜的時刻。我應該做什麼？我應該怎麼幫街頭上的這些人？在台灣這樣一個關鍵的時刻中，我要怎麼做，才能讓這個國家快速走出困境？

除了洪案外，這個國家還有好多問題在等著明確的解答。年金、十二年國教、兩岸、貧富差距、財政危機、經濟發展等，這些問題並不會因為時間的過去而減

緩。幾年過去了，國家還沒有找到前進的方向，這個國家需要把人才找齊，然後坐下來，創造一個讓政府和公民、政黨理性對話的空間。

即使知道馬總統不會答應，我還是再度建議召開國是會議。希望透過對話平台，一起搶救這個崩壞中的國家。也不意外，他依然把國是會議操作成政黨攻防。而且，這一次馬總統竟然說，等他出國訪問回來，邀我去總統府喝茶，想談什麼都可以。

總統的輕佻態度令我震驚。這透露出即使有二十五萬人上街吶喊，執政者仍然不爲所動。

洪仲丘案所引發的社會共鳴，蓋過了核四公投的攻防。在核四的議題上，馬政府喘了口氣。但民眾沒有放過，人們還是緊盯著試營運時程。

同個時間點還有另外一件事。六月在上海才簽署的《兩岸服務貿易協議》（簡稱《服貿協議》），即將要在立法院闖關，很多公民團體已在各地展開反對運動。白衫軍遊行尾聲時，主持人宣告，反服貿的行動已兵臨立法院城下，要大家用相同的態勢去對抗不公義之事。

幾個月過後，反服貿的民意海嘯果真來襲。二〇一四年三月十八日，就在我宣布再度參選民進黨主席的三天之後，學生們衝進立法院，二十三天的占領期，扭轉了六年來被少數人決定的國家方向。

1 國是會議爲朝野就國家社會之重大事件共同參與及共同解決的機制，台灣曾在李登輝總統任內召開，係於一九九〇年接見野百合學運成員時承諾。該次國是會議促成國會全面改選。

09 翻起新時代的槓桿終於動了

台灣的民主還很年輕。因爲年輕，變動的速度也相對快速。因爲快速，所以這個國家的政黨，以及政治人物，必須隨時調整自己的腳步來跟上社會變化的速度。做得到這一點，我們就會存活下來。而且，在一些關鍵的時刻中，將會扮演把國家推向下一個階段的角色。反過來說，一旦政黨的步伐蹣跚，或是拒絕改變，不要說執政沒有希望，甚至在政治領域內保有一席之地的機會可能都會失去。

新時代已經敲門，我必須把門打開

二〇一四年元旦，我在臉書發表一篇〈反省再出發，期許一個全新的二〇一四〉的文章。這些年來我保有一個習慣，習慣在新年的第一天把我對過去一年的感想，以

及對未來一年的期許，化成文字，跟全國人民分享。這篇新年文章，某種意義來說是很特別的。對我而言，二〇一三年所發生的事情，透露出一個重要的訊息：公民社會已經崛起，它的力量將迫使過去的政黨政治做出大規模的改變。所以，我在那篇文章中寫下了以下這段話：

在二〇一四年，我認為我們有幾件事情必須做出共同的抉擇。而且，我相信，我們在二〇一四年所做的抉擇將會影響整個民進黨的未來，也必將影響整個台灣民主體制的發展。

第一、我們與公民社會的關係必須做出抉擇……我們必須認清，現在是公民社會要不要接納民進黨，而不是民進黨能不能領導公民社會。有了這一點認知，我們才能透過我們的誠意，逐漸強化社會對我們的信任。換言之，現階段，我們要努力讓社會相信並且願意和我們一起努力改變這個國家……

第二、我們必須抉擇，過去的政治慣習是否要與時俱進，有所改變。以往，在狹隘的政黨政治思維下，我們總是希望把社會最優秀的人才納進民進黨，讓她或他來代表民進黨參選。但在特殊社會環境及政黨結構下，我們必須思考，是否這個模式仍然是唯一的選項？民進黨必須好好想想，為追求一個更健全、長遠的政黨政治發展，是否應展現更大的包容力，結合社會其他的力

量，共同打破當前國民黨一黨壟斷的政經結構。這個問題是現階段民進黨必須縝密思考的核心課題，也關乎未來台灣民主政治的走向。

社會正在快速改變當中，面對社會的巨變，我們可以選擇堅守一成不變的政黨政治原則，和國民黨力拚到底；但我們也可以走出過去的城牆，創造有利條件，把台灣社會正面的力量加以集結與盤整，擴大民進黨未來發展的社會基礎。二〇一四年我們如何做出正確的抉擇，將會深深影響我們的黨和台灣的未來命運。政治就是一種選擇！而且是一種在外在環境變動迅速情況下所做的選擇，只不過有些選擇輕如鴻毛，有些選擇則重如泰山。在某些關鍵的時刻，必須要有新的思維。

簡單地說，這篇文章想要告訴大家一件事，新時代已經在門口敲門，而我決定把門打開。

公民團體不斷在各項公共議題加強發聲，核四、服貿是聚焦點，不僅讓執政黨頭痛，也讓民進黨倍感壓力。前面提過，兩場由公民團體所發動的遊行，不僅在人數上超越由民進黨舉辦的遊行，而且參與民眾的多元性，以及年輕化，都令民進黨有一種望塵莫及的感覺。更重要的，民進黨的政治人物，包括我在內，某種程度來說，都只是這些公民運動的參與者，我們已經不再受邀上台發言，只能默默跟群眾

坐在一起。這個現象在幾年前是不可能發生的，我心裡很清楚，那個民進黨振臂疾呼，一呼百諾，帶領公民社會一起奮鬥的時代，可能逐漸過去了。社會有股強大的力量，對政黨政治不抱信心，他們決定站上改變台灣的有力位置。

找回改革的力量

改革力量正和民進黨分道揚鑣，這是最令我憂心的事。如果最大在野黨失去社會基礎，和執政黨一樣被民意否定，這是我不敢想像的結果。

以前，民進黨被國民黨打壓，可是我們從來不曾被社會拋棄。面對這個艱困局面，我在二〇一四年三月十五日宣布參選下一任黨主席的那一天，對外說明這段時間我對於整個台灣社會的觀察與判斷。我說，民進黨需要改變：

今天我站在這裡，不是要喚起大家的回憶，我站在這裡，是要告訴民主進步黨的黨員，以及所有默默支持這個黨的朋友們，民主進步黨以及整個台灣社會都需要往前跨出那一步。時代變了，我們所處的環境也變了，如果我們堅持活在過去，我們只會被世界淘汰。

在我思考是否參選黨主席的過程中，收到很多建議。一些很疼惜我的前輩紛紛提出規勸，此時此刻參選主席，有黨的包袱在身上，發揮的空間將會有所局限，而且，很有可能會受傷。爲了二〇一六年的總統大選，我應該明哲保身。

對於這些前輩好友的建議，我要再跟他們表達心中無限的謝意。這個黨給我的保護已經夠多了，但是，我有我該盡的責任。而且，如我在參選聲明中所說的：

> 這個國家有太多比我更需要被保護的人，面對這些人的艱難處境，我們沒有其他的選擇，我們只能出來承擔。爲了這個黨，爲了台灣的民主發展與政黨政治，我相信，任何一個像我這樣，曾經被黨以及社會支持過、疼惜過的政治人物，此時此刻都會跟我做出同樣的決定。

讓民進黨進退維谷的三一八學運

就在宣布參選三天後的晚上，我接到同仁的電話，他告訴我，「學生攻入議場了，我們的委員也在現場。」我當下的第一個反應是震驚，但立刻又想到，學生的情況如何？有沒有學生受傷？他給我的回報是，「現在的狀況很混亂，訊息也很混亂。」我要求他，如果有狀況就要立刻讓我知道。掛下電話，心裡的感受可能跟當

下議場內的情況一樣混亂。我沒有未卜先知的能力，不然，我就會知道台灣即將被這一場運動而改變。當時的我只感受到，似乎有什麼大事要發生了。

被稱爲三一八學運的這段過程，大家都還記憶猶新。三月十七日，立法院審查《服貿協議》時，國民黨內政委員會召委張慶忠，利用他的職權，在爭議中竟以隱藏式麥克風，僅花三十秒宣布完成審查，並送院會「存查」。國民黨用強渡關山的方式，讓《服貿協議》不經實質審查就生效，他的「半分鐘」，導致舉國嘩然，群情憤慨。

三月十八日當晚，公民團體在濟南路舉行「守護民主之夜」晚會，近尾聲時，抗議學生突然從立法院側門衝進，「公投護台灣聯盟」也率眾從正門闖入，數百人衝入議場，要求退回法案重新審查。

趕去立法院的路上，我不斷和現場的立委保持連繫，得知學生和立法院駐院警衛對峙。以前從來沒發生過這樣的事，史上頭一遭，最高民意殿堂的立法院被學生占領。這場占領行動，把本已動盪的政局、脆弱的經濟、浮動的社會、進入深水區的兩岸關係，帶到一個關鍵的十字路口。不過，這些都是我們後來才發現的影響。當時的我，面對著突如其來的變局，只想著一件事情，我們不能讓學生受傷。

當天午夜，我和蘇貞昌主席、謝長廷、游錫堃兩位前主席分頭趕到議場，和幾位立法委員一起在立法院議場門口的階梯上靜坐。在這之前，我靜坐過很多次。不

過，我必須坦白講，那一晚坐在那裡的感覺是特別複雜與沉重的。一方面，這樣的靜坐是一種守護，守護著不讓警察越權動武。另一方面，這樣的靜坐也是一種無能為力。身為最大在野黨的我們，在制度內，窮盡一切手段還是無法擋下執政黨的胡作非為，於是身後的這些年輕學生們，必須冒著受傷的風險，做更大規模的體制外抗議。坐在階梯上，我更加感受到，民進黨此時此刻的困境。

進去議場跟他們一起坐著，奇怪、尷尬，也不太適當；轉身離去，讓學生們自己奮鬥，在政治倫理與責任上，又完全說不過去。進不去也離不開，當晚的階梯，透露出民進黨進退維谷的處境。

政治老手都清楚的事實：一個新時代已展開了

社會將監督執政黨的期待，都寄託在政治人物及在野黨之上，但在野黨在國會的席次就是不足，面對充滿爭議的法案，如果我們不採取激烈的行動，僅平和的表決，看來就像是民進黨對法案放水。可是，一旦我們採取激烈的手段來回應國民黨的多數暴力，比如說，占領主席台，或甚至睡在議場，社會大眾又會指責我們作秀或是非理性。

激烈的手法，人民看厭了，但不用這種激烈的手法，民進黨就難以擋住擁有絕

對優勢的國民黨。對公民社會來說，民進黨的弱勢，被視爲是無力；民進黨阻擋法案的激烈手段，卻被詮釋成無理的杯葛。多年以來，我們就是在這樣的兩難中，一點一滴地流失我們在公民社會間的信任。

學運初期，外界質疑民進黨是這場運動的幕後推手。更有媒體說，衝進立法院的都是「小英青年軍」。看到這種報導，我眞是百感交集。如果民進黨能夠感召這麼多學生，我們的處境又怎會如此艱難呢？由此可見，國民黨以及部分媒體對於年輕人的想像還停留在早先的年代。他們認爲，年輕人不會有主體性，不會這麼關心國家，不會在背後沒有人指揮的情況下，對政府做出這麼大的抗議行動。

在這裡，我必須向那一段時間在議場門口輪流排班的民進黨立委，致上敬意。他們在議場門口守護，第一天晚上，當警察要衝進議場清場的時候，多位委員，不分男女，一律站在第一線，用肉身幫學生抵擋警方的步步進逼。第一天晚上的肅殺情勢過去之後，他們又不分晝夜輪班守在門口，深怕警察又衝進來。除此之外，他們幫忙傳遞各式各樣的物資，退居第二線，甚至被媒體戲稱爲「門僮」，也無怨無悔。而且，他們在整個過程中，謹守分寸，從不介入學生們的決策，默默在一旁提供支援。這裡其實是立委們平時工作的議場，但是他們知道，在議場內的這些學生，可能會完成一些他們做不到的事。他們在政治領域夠久了，心裡很清楚：一個新的時代已經展開了。

最長的一夜：行政院前的驚恐與憤怒

三月二十三日晚上，學生再度採取行動，衝進了行政院。我也和蘇主席，以及謝、游兩位前主席，趕赴行政院。我們能做的其實不多了，我只希望我們幾個人在那裡的時候，可以形成一些壓力，讓警察不敢爲所欲爲。我們到的時候，鎭暴警察已經展開驅離行動，國家暴力就在我周邊展開。學生們面對國家暴力時，恐懼又驚嚇的嘶吼與吶喊，一聲一聲都像是刀子一樣劃過我心裡。那幾個小時，可能是我人生中最漫長的時光。

天將破曉時，我走出行政院。那一夜，學生們哭天喊地的無助叫聲，以及一張張驚恐與憤怒的臉龐，都深深印在我的心裡，我告訴自己，要永遠記得這一刻。

10
見證年輕世代的崛起

三月學運期間，每天晚上我都會到立法院周遭走一圈。當時，雖已是春天，入夜後依然有寒氣。有幾天的天氣不是很好，天空下著雨，許多學生躲在走廊，沒有走廊可躲的人，身上只著單薄的雨衣，甚至裹著可以保暖的鋁箔紙，坐在馬路上，互相依偎取暖。

走過他們身旁的時候，我發現，他們的眼神已經和我印象中大學生的眼神，完全不同了。台灣社會有許多動盪，但是在動盪的年代中，值得欣慰的是，我們培養出了一整個不畏艱難的世代。沒有人強迫他們一定要在這種天氣睡在馬路上，不過，他們彼此之間有一種不需要說出口的默契，雨越大，越要留下來，因爲如果自己離開了，其他人也會離開，那這場運動就輸了。

堅強的實力，不會做，就馬上學！

學運期間，他們迅速建立起決策、指揮、後勤補給系統，g0v 零時政府（g0v.tw）用現代資訊科技進行現場轉播，物資需求平台，外文系學生負責翻譯現場情況給國外媒體，醫學系學生成立醫療小組，現場志工建立完善的醫療通道，和完備的後勤網路……他們的指揮能力完全不輸戰場指揮官。

傳統的街頭運動，總會有一大堆人採購各種包子、粽子，方便現場參與者充飢，有些人沒得吃，有些人卻重複配給很多。但現在參與運動的年輕人，會自己在網路上設置系統，結合 Google 地圖，缺多少，欠多少，哪裡需要什麼，都一清二楚，甚至還可以請廠商宅配到固定的地點，連資金需求，都從 FlyingV 群眾募資平台協助學辦公共募款。

街頭已不再只是年輕人學習民主的場域，街頭更是他們鍛鍊自己專業、溝通，以及一起合作解決問題的重要場域。

我記得某天晚上，在立法院旁邊的青島東路上，遇見一位之前認識的男同學，他站在街頭，拿著對講機，一邊對天空揮動著雙手。我走過去，拍拍他的肩，問他在幹嘛？他說正在跟廠商和駕駛吊車的熱心民眾協調，把流動廁所擺在需要的

地方。我相信，大學裡面沒有任何一個科系教導如何設置流動廁所，但這一切對他們而言，就是這麼自然而然就會了。他告訴我，事情到你頭上，你就要去做，不會做，就去學。

很多年之後，沒有人會知道，更沒有人會記得，這些流動廁所究竟是誰安排的。這項工作沒有鎂光燈，也不會有掌聲。不過，對這位年輕人，以及許許多多在這一場運動中曾經奉獻自己的學生來說，這都是他們人生中一段最充實的回憶。他們曾經爲台灣做了一些事，哪怕是多麼不足爲外人道的小事。

「今天，我選擇站在這裡。」

另外一晚在街頭的公民講台上，我聽到一位大學女生說出至今仍令我震撼不已的話，她說自己——「一輩子念最好的學校，從北一女，台大讀到現在，永遠都是班上考最好的，但今天，我選擇站在這裡。」

這讓我深深體認到，這一代年輕人眞的有了憂患意識，以及替台灣著想的那份決心與信心。想到這個能調度流動廁所的年輕男孩，想到那位發言生澀，卻能勇敢上台、表達自我的文靜女生，我知道，這一代不再需要我來憂心了。

對年輕人的信心，還來自於他們面對當權者所表現出來的態度上。透過電視轉

播，我看到行政院長江宜樺，在街頭和學運領袖林飛帆對話的過程。林飛帆的表現相當沉穩，訴求簡單有力，層次分明，而江宜樺卻是思慮猶疑、動作生硬，看不出溝通的誠意。

「馬政府的危機處理得罪了一個新世代。」輿論為馬政府確立了歷史定位。「從歷史經驗看，站在學生對立面的政治力量，幾乎沒有一個活下來。」

沒錯，世代正在快速交替，這股急促的力量正向朝野政黨叩門。如何回應這股力量，決定了朝野政黨的未來方向。

扭曲的結構，世代的衝突

這一場運動，不只撼動了台灣，也吸引了國際目光的注視。國際友人特別關注，在兩岸關係最和緩的時刻，竟導致台灣出現震驚國際的社會運動，究竟是那個環節失控？

當我們仔細去看馬政府這些年來是如何處理兩岸關係，就會知道這場運動是遲早會發生的事。馬政府一意孤行推動傾斜的兩岸政策，與民間期待落差太大，制度內無法有效化解這一股不安與不滿，壓力自然就到街頭去釋放了。

這一場運動同時包含著主權、民主、經濟的三重議題。在經濟上，面對台灣經

濟動能的持續疲軟，馬政府其實已經束手無策。他的每項因應方案都是畫餅充飢，包括加速《兩岸經濟合作架構協議》的談判、擴大跟對岸的自由貿易、全面的開放陸資、陸客和陸生來台灣，這些作法都有一個公式，就是希望依賴對岸的輸血來救台灣的經濟。

如果這些來自北京的「讓利」可以用一種更平均、公開、透明的方式，讓全體台灣人民所共享，也許還不至於會產生這麼大的反彈。現階段我們看到的是，兩岸經貿往來的利益被特定集團所壟斷，這就是爲什麼，在這次《服貿協議》簽署後，出面要求立法院盡速通過的都是企業財團。相較之下，可能受害的本土產業、農民卻不受政府關注，政府助強棄弱，民眾看得很清楚。

全球化經濟加大貧富差距，在台灣已產生階級及社會的矛盾；此時兩岸加速經濟交流，又出現扭曲的政商利益結構。兩者產生的分配問題產生加乘效應，終於演變成世代之間的衝突。

「今天不站出來，明天站不出來」「今日的香港，明日的台灣」，幾則在學運期間流傳甚廣、打動人心的標語，都說明了兩岸問題從統獨爭議，發展到更複雜的社會矛盾。

學運帶來不斷改革的力量

學運之初，對岸也許聽信了來自國民黨的消息來源管道，拒絕相信台灣社會有如此強大的自發力量，他們認定必有政黨在後面操作。不過，隨著事件的發展，態勢也越趨明顯，這次學運是台灣整體社會對交流過速的兩岸關係，產生了反撲。

兩岸經濟交流演變成少數受益者與多數受害者間的矛盾，激化社會原有的階級問題，學運只是讓民怨野火燎原的一根火柴。兩岸間必須溝通解決方法，單方面永遠無法打開這個死結。

國際媒體形容二〇一四年春天這場社會運動是「台灣之春」「台版茉莉花革命」，但我認爲三一八學運和「阿拉伯之春」很不同。

二〇一〇年，從突尼西亞開始發生於阿拉伯世界的這場運動浪潮，雖然造成好幾個國家政權倒台改組，毀滅性很強，但沒有續航力。台灣的公民力量雖看似溫和，但他們對政府持續施壓，不斷往改革方向推進的決心與意志力，都是國際社會中少見。我認爲，國民黨若不徹底改革，一場更大的政治風暴勢必來襲。下一次選舉的時候，他們將會付出慘痛的代價。

二〇一四年底九合一大選的結果，證明我說對了。不過，這是後來的事。

我相信，那二十三天的學運期間，不管對期待改變的人，或者對那些安於現況的人來說，都具有高度的啓發性。前者看到了希望，後者則被說服了：其實改變並沒有那麼可怕，所謂的現狀，也沒有像他們所理解的那樣美好。

一個人的能力不足以開啓一個新時代，唯有集聚衆人之力，才有可能掀起巨浪，翻動時代的槓桿，創造歷史。

一切重生的力量，其實都來自於「已走到谷底」的處境。對民進黨，以及對台灣整體來說，唯有大家都具備「身在谷底」的認知，我們才能有掙脫過去、堅持改革的覺悟。

11 青年世代長成爲「有知識的叛逆者」

這幾年台灣的公民運動展開了新的面貌，主導者多半是青年與公民團體，運動的本質是追求社會整體的公平正義，過去政黨對壘式的意識型態或政策立場之爭，已經逐漸離我們遠去。人民已經從服膺政黨領導、認同政黨主張而上街頭的社運模式，轉變爲自己尋找資訊、自行組織的獨立自主模式。

公民團體的崛起，民進黨的轉型機會

公民團體的思維，跳脫了傳統政治運作的方式，他們構思的城市游擊戰地圖中，議題是戰場，不同團體協同作戰，可以同時針對執政者的失能開闢數個戰場。

人民的集結，不受國會會期、議程影響，也不是政府上下班制，他們不需要政

黨資源，甚至可以透過公眾募款的方式，完成自己的目的，人民的怒氣更時時朝向藍綠兩黨。那段時間，很多民調數據都顯示，執政黨的人氣低迷，但在野黨一樣討不到好處。

這個現象也讓黨內很多人感到憂心。不過我認爲，這是民進黨轉型的機會，也是台灣社會深刻了解政黨角色和社運團體有所不同的時候。

八、九〇年代，台灣社會力蓬勃發展，推動了政治上的解嚴，也啓蒙了社會整體對環保意識、居住正義、教育改革等的反思。當時的浪潮，成爲推動社會要求改變的助力，也幫助民進黨在二〇〇〇年一舉拿下執政權。

民進黨執政初期，與街頭夥伴們興奮地摩拳擦掌，要來實踐社運理念；但是，街頭上的理想，要能落實成爲具體可行的政策，不能只靠當權者的一聲令下，在民主社會，尤其需要從下而上，獲得社會整體的認同，否則，將與威權統治無異。

政治力不等同社會力

從街頭起家，第一次執政的民進黨，在實踐街頭理想，和現實執政實力之間，找不到平衡點，讓自己陷入理想難以落實的窘境，甚至到後來，扛負著背叛社運團體的罪名。

二〇〇八年之後，民進黨失去政權。已經有慘痛經驗的社運團體，這個時候不再把民進黨當成是夥伴或戰友。他們開始謹慎而小心地和朝野政黨都保持一定的距離。

但是，若民進黨將街頭還給社會，民進黨又將如何自我定位？

我認爲，政黨和社運團體之間，仍然可以是夥伴關係，彼此合作的默契，不是指檯面下的各種交換，而是一種分進合擊：某些議題若由政黨出面較易成功，我們就義不容辭的出面，但若由民間推動較能引起社會共鳴，我們就退居幕後。

譬如，我曾公開支持反核，也支持婚姻平權，但若由我或是民進黨出面強勢主張，會使該議題焦點被模糊，甚至有被政治化的傾向，我們的行動，就僅限於表達個人的態度，而不應強要站在台上。

我認爲，政黨是載具，可以容納各式各樣的主張，但是，政治力不能再把社會力納爲扈從，也沒有一個黨主席可以把公民團體收納爲個人或一黨的政治資源。我也相信，有了民進黨上次執政的經驗，我們和社運團體，都會學到更能有效改變台灣的方法。

這大致上就是三一八學運前後，民進黨對於公民運動的態度。

讓自己成為改變的那個人

然而，即使三一八學運召喚出這麼多熱情的年輕人投身於政治改造，但是對於大多數的年輕人來說，「政治」仍然是個負面的名詞，是一個巨大的黑箱。

當苗栗大埔張藥房被地方政府強硬地拆除了，他們會憤怒、會抵抗，但他們很難了解這個荒謬的決策，是怎麼經過層層關卡，從中央到地方悄悄付諸執行。他們也非常好奇，到底我們所謂民主機制是出了什麼問題，這麼重大的《服貿協議》，居然能在三十秒內偷偷闖關成功。

這些都是他們年輕的眼中所看出去的政治。

這就是為什麼，過去許多有理想的年輕人，寧可在體制外衝撞，卻不願意跳進來改變體制。

「政治是個大染缸。」

「政治不就是利益交換嗎？」

「政治，攏係假啦！」

在許多演講場合，都會聽到年輕人這樣理解「政治」。

然而，時代在變，政治的意涵也在改變。尤其在三一八學運之後，許多年輕人

改變了他們對政治的想法，政治也許還是毒蛇猛獸，但現在，他們決定與這毒蛇猛獸正面對決。同一時間，他們也更願意傾聽，耐心而深入地探討與了解政治體制的運作，不管是黑暗的還是光明的。

我一直認爲，這是一件好事，必須讓年輕人理解實際的政治過程。如果年輕世代對於政治始終抱持著一種「敬鬼神而遠之」的心態，這個國家將永遠沒有出路，永遠沒有充滿理想與抱負的新血願意跳進來奉獻。

「有知識的叛逆者」這七個字，時常出現在我對大學生的演講場合之中。以往我在大學教課，年輕人其實都不太發問，而現今，在街頭、在學校演講等交流場合，舉手發問的是一個接一個。他們所問的問題，不管在廣度及深度上，完全不輸電視上談話節目名嘴。當這一群「有知識的叛逆者」集體走上街頭時，難怪馬政府不知道如何面對。

記得我曾和一個年輕人對談，我問他：「假如民進黨有一天執政，你還有可能走上街頭嗎？」

他斬釘截鐵地告訴我：「會的。」

這個答案雖然聽起來不是很悅耳，不過，轉念想想，不正是因爲他們對公平正義的堅持，國家才有希望嗎？

「當我們發現自己身處於世代資源分配不均的環境時，我們就會對政治格外關

心，因爲，政治可以影響很多事。一旦我們發現，政治無法改變自己的處境時，我們願意自己站出來，成爲改變結構的那個人。」

他的話，道盡了這一場學運的原因。

從洪仲丘案到三月學運，我深深相信，我們正走在一條開啓更多可能性的道路上。當然，有一天我也會變成老人，思想若也開始僵化，那時，我就會變成被質疑與挑戰的人。

我想起，當選黨主席後，公民團體的朋友送來一張卡片，寫了一段話，那段話節錄「萬人送仲丘」那晚活動中主持人的演講：

民進黨如果眞心誠意捍衛我們的價值觀和理想，全世界都會聯合起來幫助你，但如果你不是眞心誠意，只想著下次選舉，民眾不會站在你這邊。

這一張卡片，我一直留在我的抽屜裡面。裡頭的字，我則隨時放在心上。

溫柔的力量

政治小英

Chapter 4

李聰祥
朱泰平

民主老仙覺
黃信介主席
直選

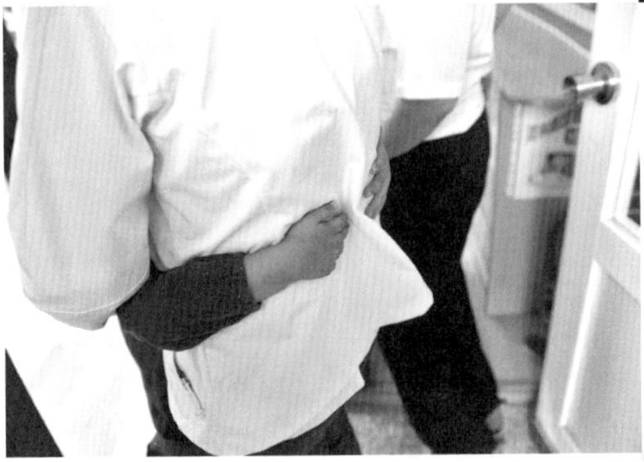

民主小草

12
台灣是什麼？

二〇一二年總統大選，在電視政見發表會上，我是這麼說的：

台灣就是張惠妹的歌聲，就是吳寶春的麵包香。台灣是曾雅妮漂亮的推桿，就是陳樹菊的菩薩心腸。台灣就是，年輕人出國比賽拿到獎牌時，看著國旗升起來，就會放聲大哭。台灣就是，九二一震災和八八風災的時候，在家裡坐不住，就跑去做志工。台灣就是，看見蘇麗文跌倒了十一次，再站起來十一次，她在場中落淚，我們在電視機前面也陪著掉眼淚。台灣就是那些，爲了跟孫子溝通，努力學習電腦的阿公阿嬤。台灣就是一股生命力，一股意志力。受了再多委屈、還是要擦乾眼淚，勇敢地站起來。這就是台灣。

看見台灣的美麗與哀愁

「台灣」是一種精神。很多年之後，也許人們不會記得現在的吳寶春或陳樹菊，但是，總會有一些新的人名跳出來，這些人從折磨中學會堅強，從險惡中學會善良，台灣的精神將會一代接一代地持續下去。

台灣人是這樣，不過，台灣的國土卻不會這樣。一旦受傷了，它可能就永遠無法恢復原狀；一旦失去了，下一代的人可能永遠不知道山河原本的壯闊。

齊柏林導演的《看見台灣》紀錄片[1]，大概就是想告訴我們以上的概念。我不認識齊導演，也沒跟他見過面。我是跟幾個幕僚與朋友，在電影上映期間去看這部片子。令人震撼的畫面，配上吳念真導演觸動心扉的旁白，把台灣的美麗與哀愁說得如此逼真而有力。離開電影院，我們一行人似乎都不太想說話。沒看這部片子之前，很多人不知道，原來台灣這麼美；沒看這部片子之前，很多人也不知道，原來台灣傷得這麼重。看到傷痕累累的家園，實在讓人沉重。

對齊導演來說，台灣是什麼？台灣就是一片正在哭泣的大地。雖然影片中沒有追究任何人的過錯，不過，坐在那裡看著一幕一幕的畫面，我每一分每一秒都如坐針氈，好幾次差點想起身逃離。身為政治人物的我，也曾經在政府部門握有權力，

但是整個政府部門竟然沒能阻止這種現象，任憑家園飽受創傷與摧殘，我除了慚愧，還是慚愧。

這就是爲什麼，我會在這次的總統參選聲明上特別提到：

我們不會放任國土保育和農業發展被犧牲，讓我們在「看見台灣」的時候，竟看見千瘡百孔的國土。我們會拿出進步的法規和積極的行動，來保護人民賴以生存的土地。

政治人物過去所沒有做到的事，我希望從我開始，不只認眞地來做國土保育，也要認眞地來推動新的政治

政治讓人看不清真實？

一直以來，我們相信民主政治能爲台灣社會帶來進步的動力，這個社會也都將多數的期待寄託在政黨與政治人物之上。可是經過兩任共四年的黨主席，在政務官與政黨領袖兩種工作的歷練，我知道，政治力量固然可以決定油電價格是否調漲、買賣股票要繳多少稅、健保可以支付多少住院費用……等，但傳統的政治力量無

法讓我們看見台灣，甚至某種程度來說，很多時候政治就是希望人民不要看見眞實的台灣。

那個時代必須過去，否則台灣永遠不會走出一條新的路。

會有這樣的感想與決心，跟我從二〇一二年辭掉黨主席，走入社會之後所看到的一切有關。在政治之外，我看到一個不一樣的台灣。

一方面，它像是《看見台灣》所拍攝的內容那樣，傾斜而虛弱，另一方面，它也像是我所描繪的那樣，堅韌不撓，從不放棄希望。

民間的自力救濟，來自對政府的不期待

在高速公路上，我們很少看到滿載蔬果或雞鴨牛豬的貨車南下，顯示了這個國家在區域發展上的不均衡。青壯人口、硬體建設、經濟活動以一種不對稱的比例集中在北部都會。面對這種國民黨政府時期所遺留下來重北輕南的結構，我看到資源較少的中南部，以有別於傳統的方式，尋找自己的特色和價值。

當都會的工商景氣衰退，故鄉也瀕臨凋零，許多年輕人逆流返鄉，在休耕已久的土地上撒下種子，用溫柔無毒的方式建構新農業，也爲疲憊的環境注入活水生機。

在沿海山間，本來失怙無依的老人、少年，因爲一些堅持不放棄的力量，獲得關懷與重生。追尋人道主義的奉獻情懷，讓困頓在偏遠角落的生命得以有尊嚴地延續。

其實，類似的質問我聽到很多：爲什麼政府不做什麼？爲什麼民進黨不督促政府做什麼？種種的喟嘆與抱怨，從房價、就業、稅制、年金、社福制度，各種與人民生活相關的政策領域。人民需要的，政府總是跟不上。

根本的原因就在於，政治遠離了人民，不再以人民的需要爲本。或者應該這麼說，政治逐漸感受不到人民到底要什麼，站在第一線的民間團體，眼看著問題越來越嚴重，政府卻越來越遙遠，面臨生存挑戰的他們，就必須自我保護，自力救濟。

把大家一起拉進來的國是會議

認識這些長期關心偏鄉教育、弱勢團體、土地正義等議題的人士，教會我兩件事。第一，如果我繼續走政治這條路，如果我繼續用傳統的方式來參與政治，那不如不要做。直接加入他們、跟他們一起留在民間奮鬥，還來得比較有意義。因此反過來看，如果我要從事政治，我就要想辦法把他們目前正在做的事，重新納進政治工作的領域。

我當然可以選擇繼續留在民間。我知道我可以做一個更積極的遊說者，或如宣教般的理念宣傳者，而且做得很好。不過，如果我要自己動手解決台灣的一切問題，催生新政治來改變台灣，那我必須有更大的決心去承擔更多責任。政治當然不是無所不能，政治當然有其力有未逮的地方，但是，當我在民間社會回過頭來看政治時，我突然驚覺，原來我們之前都太快放棄，太快就把政治工作封鎖在一個很小的範圍。也許我們在這樣一個相對小的範圍之內如魚得水，自得其樂，不過，社會卻在吶喊，國土卻在受傷，台灣正在沉淪。

第二，所有政治的決策必須回應社會的需求。社會所發生的問題，政治部門未必能第一時間掌握，而且就算政治部門掌握到了，也不一定能第一時間推出解決問題的政策。換句話說，我們應該創造一個場合或機制，讓這些年來社會所發生的問題，以及社會對於政治的要求，做一次全面而多元的反應。

召開國是會議，在我看來就是一個解方。國家領導人讓出政治空間，透過集體協商成為憲政體制下解決重大爭議的常態，這不會影響領導人的權威，反而可以因為由下而上的擴大參與，凝聚成一個國家的共識。

國是會議代表我心目中的新政治，這也是我跟馬總統以及傳統政治人物不一樣的地方。無論外界如何議論我的舉動，我並不打算放棄對理想政治的堅持，畢竟太過算計和妥協，是人民對政治人物失望的主因之一。如果擁有權力的政黨都不願放

下舊立場、舊價值，政治與社會永遠像兩條平行線。我打從心裡相信，透過國是會議，這個社會的動員過程將有助台灣重建自信與互信。

馬總統也看了《看見台灣》，我不確定他是否跟我一樣感到自責與慚愧。那支離破碎的土地彷彿提醒著我：舊政治已將台灣撕裂，藍綠以外的聲音被惡鬥的叫囂吞沒，理性溝通及體諒包容的空間，被勝負仇恨所壓制。這樣子的台灣還要繼續下去嗎？

1 《看見台灣》獲得金馬獎最佳紀錄片。影片中揭露日月光半導體公司高雄K7廠排放廢水污染後勁溪，經勒令停工並予以起訴。一審判決被評爲輕判，檢察官決定上訴。該廠經查核後已復工，並斥資成立國內最大工業廢水回收廠。

13 向公民力量學習

二〇一四年五月二十八日，我再次就任民進黨主席。這是我第三次擔任這個重責大任，我的幕僚提醒我，這個黨從一九八六年創立以來，從來沒有任何人能像我一樣有機會三次領導這個政黨。

我破了紀錄。不過，就職當天，我沒有特別興奮的心情，也不想發表什麼長篇大論，只想傳達一個訊息：「比起我們說了什麼，社會大眾更期待看到我們做了什麼。」我肩膀上有巨大的壓力，我必須帶領這個黨，在最短的時間內做出成績。

民進黨要做什麼？這個問題在我決定參選時，心中就已經有了答案。這次黨主席任內，我有三件事情要做。首先，是我們與公民團體的關係；其次，是二〇一四年底的九合一大選；第三，則是二〇一六年的立委選舉及總統大選。前兩件事情做到了，我們才能來思考第三件；換句話說，如果我在前兩件事情上失敗，那第三件

事情可能就不用想了。

當人民的希望成為人民的批判時

二十五萬白衫軍上街頭時，我和黨內同志不約而同的走在人群中，盡一個公民的責任，坐在凱道上聽著參與遊行的一般人民訴說他們對政府、政黨的不滿。他們刻意強調自己不藍不綠，整場晚會不讓政治人物上台表達意見。當晚我和蘇治芬縣長，以及若干同志坐在凱道上，四周的民眾對我們還算友善。我沒有任何想要上台演講的念頭與衝動，但是我告訴自己，如果民進黨在二〇一六年要能順利執政，我們與公民團體之間的關係必須找到最大公約數。

公民團體在街頭上崛起，黨內許多人有著共同的焦慮，他們擔心公民團體將民進黨邊緣化。有一次，立法委員段宜康提到中央黨部的那三張照片。

第一張是創黨主席江鵬堅拿箱子在街頭募款，第二張是我們暱稱為「信介仙」的前主席黃信介，第三張則是創黨十八人的合照。段宜康說：「創黨的那個世代和當時的人民一起在街頭抗爭，然後，慢慢地才有後來的民進黨。當時的台灣人民把希望放在政黨，希望民進黨能幫他們伸張正義，替他們把國民黨打倒。不過，這一兩年來，社會氛圍正在改變，雖然我們是在野黨，但是我們從以前人民的希望，變

成現在人民批判的對象，我們必須正視這個現象。」

我了解他的心情。民進黨的問題不在於失去街頭主導權，而是失去「人民」這個夥伴。當一個在野黨失去這個最重要的夥伴時，我們還剩下什麼？

黨主席最大的挑戰

這個趨勢不能繼續惡化下去，否則民進黨的未來不樂觀。我知道這個問題的嚴重性，所以把它列爲這次接任黨主席的第一個巨大工程。我希望把民進黨還給這個社會，讓台灣人民再一次相信政黨，再一次把對國家、社會、家庭、與自己的希望放在一個民主政黨上面。

換句話說，我們不是要跟公民團體搶奪街頭抗議的發起權，我們可能也不需要堅持跟他們爭奪各類社會議題的主導權，我們要競爭的是，誰能贏得人民的支持——特別是那些理想性高、價值觀進步的人民。在這個原則之上，我們必須開放，必須包容，必須在一些進步的議題上表態，必須讓社會走進我們。當然，這個過程必定會有一些陣痛，但是，爲了民進黨的未來，我必須堅持下去，把民進黨開放給社會。改革勢在必行，我心無旁鶩。

二〇一四年的九合一選舉，就是我開放民進黨的第一次嘗試。這也是我必須承

擔的第二個艱鉅工程。

颳來一陣柯文哲旋風

柯文哲醫師，也就是現在的台北市長，一開始在政壇上並沒有現在那種強人般的氣勢。他的知名度來自於在台大醫院急診室的專業表現，大家都知道他是一個好醫師，他也自稱是「墨綠」的，不過，當時大家對於他到底能爲既有的政治領域，以及多年來國民黨長期執政的台北市帶來什麼，仍然充滿了問號。他的最大優勢來自於他是一個素人，沒有包袱，可以做一些藍綠兩黨無法做到的事。對於柯文哲的參選，我抱持開放的態度。我沒有一定要支持他，但是，如果他能在台北市長的民調上勝過民進黨的參選人，我也沒有理由阻止他。

我當然希望是由民進黨來終結國民黨的一黨專政，但在特殊時空背景之下，我也樂見另外一股進步力量，來達成我們共同的目標。我們要對抗保守勢力，但在我們能力還不夠時，爲什麼不讓其它力量來試試看？

這個協調的過程很漫長，因爲我必須照顧到黨內同志的情緒。黨內不是沒有人要出來選，對於這些參選人，我也一直抱持正面期許的態度。呂秀蓮前副總統、顧立雄律師、姚文智委員都提出了對於這個城市的願景，對於他們的努力以及肯爲黨

犧牲奉獻的精神，身爲黨主席，我打從心裡以他們爲榮。我的第一順位當然還是希望推出最強的民進黨籍候選人，但是在這樣的時代、在台北市這樣一個有著特殊選民結構的城市裡，我們必須做好準備，隨時提出創新的作法。

公民社會推動台灣改變

二〇一四年六月十八日，民進黨中執會做出正式決議，本黨不推出候選人，而推薦柯文哲醫師角逐台北市長選舉。同時，民進黨不會要求柯醫師入黨，他若當選，也不會介入北市府的人事安排，他有絕對的自主權來決定如何打這場選戰。這樣子的禮讓，讓我們飽受支持者指責。很多人認爲，民進黨一個泱泱大黨，卻在首都市長的選戰裡面怯戰，實在有失顏面。呂秀蓮前副總統也直言表達她的不同意見。

我跟前副總統呂秀蓮認識很多年了，在我前兩次擔任黨主席的過程中，也有賴她許多協助。我知道她個性直接，對我的批評沒有惡意，而且對於黨的焦慮與期待跟我們任何人都一樣深。我也知道自己正在做一件民進黨不曾做過的事。坦白講，這個新的作法會得到什麼結果，會將民進黨帶到何處，沒有人可以拍胸脯保證。畢竟台灣政治變化的速度太快了。不過我心裡很篤定，如果我過去兩年在民間社會所

觀察到的現象是眞的，那現在所做的決定就是對的。

柯文哲所代表的不只是他個人，而是一個現象，一個正在崛起的現象。民間社會渴望超越傳統的藍綠政治，民間社會期待看到藍綠之外有不一樣的選項。換句話說，我所思考的是，不是如何面對他這個人，而是整個黨如何在這個現象中自我調適，尋找出路。

我從沒有機會造訪過柯文哲的競選總部，我所有的資訊都來自於媒體，以及一些朋友幫忙彙整與分析。他們不約而同地告訴我，柯文哲的打法很另類，很有活力，成員有倡議核電廠存廢公投的公民團體，有來泡茶的老鄰居，也有義務幫忙宣傳或經海選而來的年輕人。大家看起來很熱鬧，他們有共同的目標，願意不分你我來努力。這群人聚集在一起的原因只有一個，他們想要改變。不只改變這個城市的未來，也要改變過去人們習以爲常的政治。

選舉結果揭曉，柯文哲以八十五萬的得票數大勝。民進黨在台北市所提名的所有市議員，史無前例地全部當選。看到這個結果，我很欣慰，這個結果證明我一開始的看法是對的。但是我很清楚，柯文哲的勝利不屬於民進黨，民進黨如果宣稱勝利，那無異於阿Q精神。這一次是公民社會以他們的方式推動了台灣的改變，在這一點上，我們必須謙卑地向人民學習。

政治需要最簡單的信念

選舉過後的一天晚上，我邀請柯文哲來家裡吃飯。我們聊了很多，並對台灣政局交換意見。他自己知道肩膀上的責任，他代表一種超越藍綠的力量，如果他做得好，那這股力量會繼續延續；如果他做不好，人民會對政治更加絕望。看得出來，他是一個有自信的人。對於未來的種種可能性，他已經躍躍欲試。

當天晚上有件讓我印象最深刻的小事。我準備了好幾道菜，第二道是義大利麵，也許很合他的胃口吧，這位未來的柯市長就一直低著頭狂吃，吃完之後，抬起頭告訴大家說他吃飽了。後來再上的菜，他也眞的一口都不吃了。他吃飽了就是吃飽了。我在一旁看著這位隨性率眞的政治素人，感覺到他將會爲台灣政壇帶來一股衝擊。

柯文哲現象的另外一個面向就是「參與」。在許多場座談會、工作坊中，我發現越來越多年輕人對於「新政治」抱有期待與理想。他們不再滿足於街頭的衝撞和學院的論述，而是希望捲起袖子，以自己的學識與專業回饋家鄉。他們想「做」的政治，不再是老式的金權遊戲，而是簡簡單單，希望能讓自己的家園更好的期許。

然而，政治有它現實的那一面。這些人有理想與抱負，不過，沒有資源的他們

如何在政治領域中一展長才呢？這個世界上，柯文哲畢竟只有一個。那些不是柯文哲的素人，我們是否能提供他們一個更合理、友善的政治社會參與環境，讓他們主導台灣下一波改變呢？

⊙民主小草：從政也可以很創意

在國外，有一種被稱爲「天使基金」的投資方式。許多具有好點子的新創企業團隊，理念立意良善，但缺乏資金，這時，「天使基金」就能幫忙新創團隊踏出第一步。

我的想法是，在業界有「天使基金」協助創投，在政界，爲什麼不能有「政治創投」？

二〇一四年九合一選戰中，我將這種想法化成具體的作法，這就是後來大家所看到的「民主小草」。

「民主小草」的計畫是，將民進黨的選舉經驗，傳授給有意回到自己故鄉競選村里長與鄉民代表的年輕人。之所以稱爲「小草」，原因很簡單，因爲他們所參選的職位很在地也很基層，就跟小草一樣，從土地中長出來。這些參選村里長的年輕人都沒有加入民進黨，我們也沒有要求他們加入。我們到各個地方去舉辦說明會，

希望能找到更多的年輕人來參與基層政治。在這些說明會中，眞的遇到不少願意跳進來選的年輕人。

爲什麼村里長不能是年輕人？他們就是從這個簡單的問題出發，一路來闡述自己心中對於基層政治的想像。如果村里長是由年輕人來擔任，就算這個世界不會因此而改變，至少，他們所在的鄰里村落將會變得很不一樣。

從政也可以是很「炫」的工作。參選馬公市市民代表的，是年僅二十八歲的蘇育德，曾在墾丁春吶、貢寮海洋音樂祭，以及台北野台開唱中演出。他平日就是一名樂團吉他手，他用他創作音樂的熱情，來帶動市民關心故鄉，大家共同來思考賭博觀光、人口老化、霸凌等在地社會議題。

高雄市岡山區的候選人，三十一歲的黃信凱，原職是汽車業務。在妻子懷孕生子的過程中，才發現整個岡山只有兩位可以接生的醫生。這件事情令他震驚，擁有衛生管理所碩士學位的他，下定決心要改善岡山的醫療資源與社區婦幼健康環境。當時，他憨厚地說著：「我沒有什麼特別的背景，也嘸有錢的父親，希望鄉親父老給我一個機會。」

「民主小草」的選舉表現意外得好。我們推出的四十七位候選人中，有十五人當選；未當選者，也拿到了超乎預期的票數。以往的經驗常常說，選舉第一靠組織，第二靠宣傳，理念所占的比重則是微乎其微。這種現象，越往基層走越明顯。

然而，這次基層選舉的結果，證明了這個現象可以被扭轉。社會正在變化，我們的公民意識已經覺醒，現在的地方選舉，不再只是傳統樁腳的天下。只要有心，年輕人可以透過熱情與理念，來打動鄉親父老的心。

14 天色漸光

黨主席必須爲選舉的成敗負責，國內外所有政黨都是這樣，民進黨當然不會例外。

九合一選舉：我的期中考

從我三度擔任黨主席的那一天起，我就在倒數計時。時鐘則鎖定在十一月二十九日。在那一天，我所領導的政黨將把我們的表現攤在陽光下，供人民來檢驗與選擇。我知道，而且大家都知道，這一場號稱「九合一大選」的選舉，是我的期中考。

我不想輸，而且我也不能輸。

選前的所有民調看起來，民進黨的得票率不會太差。但是正因爲如此，我比任何一次選舉都緊張。那一年的春天，台灣剛剛經歷了一場大規模的學運，所有的能量都在那短短的二十多天中激發出來。這一股能量最終導向何方，沒有人知道。我只能摸著石頭過河，步步爲營。

我的確曾經帶領整個政黨打選戰，不過，長期擔任政務官的我，畢竟不是這方面的佼佼者。這些年來，我一直在學習，學習跟黨內的候選人溝通，更學著如何跟選民們溝通。大選期間，選舉經驗豐富的陳明文立委告訴我，相較於上次總統大選，我顯得比較成熟。選戰調度、資源分配、文宣策略……等，都表現出決斷和主導能力，這對軍心很有號召安定作用。

他說：「以前我們跟在妳後面打選戰，有點怕怕的，但這次感覺很可靠，妳眞的蛻變成功了。」

他的這些話讓我很感動。在基金會兩年多的社會磨練，讓我對處理選戰、政治事務開始有了全新的思考。

一種價值，兩個戰場

和過去幾次準備選戰不同，這次一開始，我將大選定義爲「一種價值，兩個戰

場」。一種價值，就是新舊的抉擇。雖然這次是地方選舉，但我們以城市治理思維做號召，提供選民一個「追求進步」的選擇，不再只是停在藍綠版圖消長的政治想像。

這也是一種政治文化的新舊對決，我們不走傳統動員，取而代之，我們不斷鼓勵年輕人出來承擔，用各種方式積極參與選戰，包括競選村里長，從基層營造世代交替的氣勢。

同時開闢兩個戰場是個極具實驗性的嘗試，這個實驗能否成功，取決於民進黨自身思想解放。

政治改革的關鍵在台北變天

前面提過，早在柯文哲醫師決定參選、黨內就提名問題出現摩擦時，我和身邊幕僚討論過這個問題。我們認爲，台北市是首都，對台灣政治有無可比擬的意義，只有台北變天，才能啓動台灣政治改革。

但在這個「藍天大於綠地」的城市，民進黨從來沒有優勢。如果出現合適的無黨籍人選，只要在理念上志同道合，應該支持他去挑戰。這也是我們兩年來努力與社會力結合的另一種實踐。

於是大家分頭說服黨內反對聲音，希望各派系接受以公平的遊戲規則決定人選。

柯文哲勝出，是民意的抉擇。我一直認爲，「柯文哲現象」是一種社會集體需要出口的氣氛下所造就的，而他成爲這種社會氣氛的載體，因而贏得選舉。

柯文哲在組成競選團隊時，網羅了許多跨越藍綠的人馬，讓台北市長這場選戰，成爲嘗試結合社會力的舞台。他的總幹事姚立明也是小英基金會的董事，在組織上，小英之友會及民進黨的市議員也提供了必要的協助。

這組跨越藍綠、單純想讓台灣更好的團隊，迅速主導了選戰的議題設定和節奏，在柯文哲領導下的這個戰場，不只很早就確立領先優勢，甚至影響了我們的另一個戰場：台北以外的縣市。

幾次黨內的選戰對策會議上，候選人提出焦慮，認爲選戰的熱度過低，將有傷整體民進黨的選情。換句話說，全台灣的焦點都在台北，其他地方的選情則相對冷清。他們告訴我：「主席，妳不能說我們不認眞、沒有積極造勢，媒體版面都被柯文哲占去，我們根本上不了新聞。這樣下去選民很無感，沒有熱情不會出來投票。」

與台北市相鄰的新北市與桃園市，都是艱困選區，候選人發不出聲音，苦無對策。看他們受困，我也很忐忑。

該怎麼辦？我只有一個答案：拚就對了。

從地方開始，贏回台灣

於是，我展開各縣市瘋狂大掃街的行程。我現在眞的回想不起來，我到底去了關鍵決戰地的彰化幾次。我只記得，如果當天的行程排得太少，幕僚就會被我唸。既然可以去十個地方，我不會只去九個。我是帶兵的人，如果我比任何人都拚命，其他人的熱情與決心就會被我激發出來。

除了拚命跑行程之外，我還要求必須要提出地方執政的規畫。這就是後來的「區域聯合治理」政見。台灣並不大，各個縣市之間的連結其實很緊密。在這種情況之下，如果能用一種區塊式的方式來思考整個地方執政，不僅有限的資源可以得到整合，而且也能喚起當地人對於區域的驕傲感與認同感。

幾個月之內，我們陸續推出了「守護雲嘉大糧倉」「翻轉中台區域聯合治理」「改變桃竹苗居住正義」三大主題的電視廣告，針對不同區域的選民，做整體規畫與情感訴求。

許多人向我們反應，這三支廣告感動了很多年輕人。雲嘉嘉民衆對於在地作物的情感、中彰投居民對於共同生活圈的認同，以及桃竹苗鄉親對於土地正義的感受，不同區域的選民從各自的生活經驗出發，卻都在「區域治理」的訴求下，有了一致的認同。

這個認同，是出於同樣希望自己的故鄉有所改變；這個認同，也是以珍惜自己故鄉的在地價值爲基礎，在新的時代冀望新的治理和承擔。

我們是寄希望於地方，換句話說，「從地方開始贏回台灣」不僅是一句口號，而是要把綠色執政的治理典範，在各地擴散，用各地成功的治理成績，具體回應人民求變求新的期待，也藉此來證明，民進黨眞的做得到。

價値的抉擇

國民黨的選舉策略，一如預期，就是強打訴諸安定的保守氣氛。選前一波波的文宣廣告，就在強調「沉默的大多數」。這場選戰成爲新舊價値的再次對決。

台北市在倒數十天出現族群動員，更是保守勢力的最後反撲。同時，在中部、雲嘉一帶都出現國民黨向派系樁腳下達動員令，這是另外一種形式的舊勢力在對抗新民意。現在回想起來，這場價値對決讓我壓力大到幾乎透不過氣，我深怕當年憾

事重演。

最後階段，我們在中部及嘉義市走入鄰里鄉鎮，被媒體形容為「巷戰」。之前所謂的掃街多半都是掃大馬路，這一次在中彰投，我們的宣傳車與掃街車連較狹窄的巷子都開進去了。地方人士都說，這大概是有史以來第一次黨主席的掃街車開到角落，黨主席雖不是候選人，但拚勁可不輸候選人。

我的確是拚了。我也只能拚了。這樣的努力漸漸看到成果，很多年輕人主動在街頭和我們打招呼，茶飲店的工作人員一手搖茶，一手比著勝利V。我的臉書上，年輕族群的留言明顯增加。

漸漸地，不只在台北，各個城市都開始出現「求變」的熱烈氣氛。嘉義市民眾自發性製作「支持×××就是支持馬英九」的布條，後來逐漸成為全國性的口號；年輕人發想的「國民黨不倒，台灣不會好」標語，也散布在大街小巷裡。人民自主動員，集結起來參與這場推動台灣改變的歷史戰役。不僅在菜市場，選舉的熱戰也發生在網路上。我感受到了這股求變的巨大力量和熱情，但是真的能成功嗎？九席？還是十席？或者更多？

沉默的多數，是站在我們這邊？

十一月二十八日，投票前一天。按照慣例，這是整個選戰過程中最緊湊的一天。一早我在嘉義市和雲林縣四個鄉鎮瘋狂大掃街，中午過後趕往台中，與中彰投三個縣市長候選人聯合召開記者會。記者會結束後，我再度回到南投掃街。我沒有時間休息，也不想休息。我巴不得這一天有四十八小時！站在掃街車上，多一個人對我揮手，我就多一份安心。黃昏的時候，我坐上北上的高鐵，衝回新北市板橋車站旁，爲游錫堃前院長站台。演說之後，幾乎沒有時間寒暄，又匆匆循著原路前往高鐵站南下，我在新北市只待了約半小時。這種行程安排看起來很怪，但是，我一定要來。游前院長在這場戰役中展現了驚人的鬥志與爆發力，我知道即使我匆匆停留二十分鐘，對他，以及對所有新北市的選民，都代表了民進黨的態度。到了台中，車子在高鐵站等我，一行人一路驅車趕到彰化晚會現場。夜色籠罩，時間不多了，我一定要把彰化贏下來。

彰化的場子很熱，這裡眞的有一種即將變天的感覺。我到了之後立刻上台講話，因爲講完後，我又得立刻前往台中參加選前之夜。這場選前之夜集合了中彰投三位縣市長，這代表民進黨在區域聯合治理上的決心與意志，這次我們一定要把中

台灣整個翻轉過來。

國民黨當然知道這樣的策略，於是，選前一週，他們幾乎把所有資源都用在台中市。胡志強市長在這裡已經執政了十多年，他身上擁有的人脈與資源，再加上整個國民黨的動員，累積起來的聲勢，對我們來說，眞的是場艱困的一役。林佳龍的民調一直穩定領先，可是台中市耳語不斷，國民黨追上來了，雙方的差距已經縮小到誤差範圍。

那幾天我一直詢問內部民調情況，台中能不能贏？資深幕僚也是民調專家陳俊麟，告訴我看起來應該沒問題，不過，我感覺他給我的答案逐漸趨於保守。我的不安寫在我的情緒上，當天隨同我奔波的幕僚後來坦承，他一路上都不太敢跟我講話。現在想起來，我還眞不記得他一路上跟我講了什麼。我只記得，他一直安慰我，叫我放心，他說：「主席，沉默的大多數是站在我們這一邊。」

是這樣嗎？

腰桿挺直，扛起未來！

當天在台中的演講稿，其實也有一些波折。原本幕僚提出的文稿內容只鎖定在區域聯合治理的細節。前一天晚上我看了之後，覺得方向必須要調整。於是，我要

求全部改寫。透過電話，我把心中的想法告訴執筆的同仁，我要改變，我希望傳達出去一個強而有力的訊息，讓這個社會改變的能量爆發出來。在電話那頭的回應說，他知道我的意思。當時的時間已經接近凌晨，可以想見他接下來應該整晚都沒睡。

隔天一早收到稿子，我只做了一些修改。從彰化到台中的車上，我一直看著碼錶反覆練習這篇講稿。上台之前，隨行的幕僚耳提面命，要我把情緒釋放出來。因爲整個選戰的成敗，就看這一場演講，一定要把支持者的熱情激發出來。我點點頭，一個人站在後台，等待主持人介紹我出場。

那一刻，這幾個月來南北奔波、東征西討的點點滴滴、酸甜苦辣，像幻燈片一樣迅速從我腦袋裡面閃過。我聽到主持人叫到我的名字，我突然想到一件事，以前有位長輩常常提醒我：不可以駝背。沒錯，這一刻，我不可以再駝背。我一定要腰桿挺直，我是這個黨的主席，壓力再怎麼大，我都要扛起來。

在簡短的開場之後，我一一介紹三位候選人。我提到參選彰化縣長的魏明谷一路打拚的心路歷程，我提到李文忠回到南投鄉親面前就會心情好到常保笑容，我也提到林佳龍這十年來在政治上的起起伏伏與經歷的人情冷暖。

然後，我把二〇一四年縣市長大選前的最後幾分鐘，留給那些沉默的選民以及年輕人。我當時是這樣說：

我相信，沉默的大多數是站在人民這一邊，而不是站在馬政府跟國民黨那一邊。他們沒有出來抗議，不代表他們認同國民黨政府的所作所爲。他們其實也跟那些出來抗議的人一樣憤怒，只不過他們在忍耐，他們在等待，他們所盼望的就是明天。明天，我相信，這些人會用他們過去這六年來的生活投票，他們會走進投票所，一票一票告訴馬政府，我們的生活沒有變得更好，我們才是這個國家的主人，投票的確不需要吶喊，不需要大聲公，但是，我們想要改變。最後，我還有一點時間。我想要特別跟我們的年輕人說。特別是那些，還沒決定要不要回家投票，或者是那些還沒有決定要投給誰的年輕人。我懇請大家，這一次，請相信你們自己，相信你們的眼睛，相信這些年來你們所看到的。如果你們看到的台灣跟我們一樣，明天請你用選票，告訴馬總統，這不是我們想要的台灣，這也不是我們要的未來。你們的一票，將會讓他警惕，你們的一票，將會讓他反省。讓國民黨輸一次，台灣不會倒，台灣只會更好。

這一場演講，後來被《新新聞》的記者形容成：

選前之夜，全國聚焦在台北市的連柯大戰鹿死誰手，民進黨黨主席蔡英文

當晚在台中，進行了一場大概是她個人史上最豪情奔放的演講。那一晚，向來內斂壓抑的蔡英文，褪去層層包覆的矜持外殼，激昂大爆發，彷如化身成一頭強悍的母獅子，「銳氣」千條、慷慨淋漓地向執政者發出怒吼，再不掩飾她強烈的企圖心。那晚，判若兩人的蔡英文，讓人驚鴻一瞥！

其實，我沒有判若兩人，我也不是什麼強悍的母獅子。我還是我，唯一的不同大概是，在那一刻，我知道這是我跟社會的保守氣氛宣戰的重要時刻。整場選舉，我沒有跟任何人提過，我身上的壓力有多大。所以，與其說我發出怒吼，不如說，當晚現場，我把那幾個月來被壓抑的情緒，以及所擔心的事情，全部宣洩出來。我好想為這個黨贏一次，我好想讓我們的支持者快快樂樂地大聲狂吼一次。

抱？不抱？自然一點比較好

這場演講中還發生了一件事情，現在講起來感覺有點幽默，不過當時氣氛可是高度緊繃。由於台中的情勢很詭譎，為了凝聚支持者，當天下午，我們臨時決定在原先準備好的稿子裡，加進我跟林佳龍的牽手廖婉如講話的橋段。國民黨最後千軍萬馬押在台中，佳龍跟婉如兩個人，肩膀上承受了無與倫比的壓力。婉如很堅強，

也很辛苦，幕僚安排我在講到一個段落時，主動走上前去給婉如一個擁抱。這個舉動不是我的風格，幕僚怕我忘記或抗拒，還特別在稿子裡標記「擁抱」兩個字。當我講到那個段落時，從台上看下去，很多觀眾其實都已經在擦眼淚。我轉過身，想「依照指示」去抱一下婉如。可是，我卻看到佳龍早已淚流滿面，把婉如緊緊抱在懷裡。我猶豫了一下，要不要把他們「分開」呢？我馬上就打消了這個念頭。

政治還是自然一點比較好。

10/20/2015

經濟小英

Chapter 5

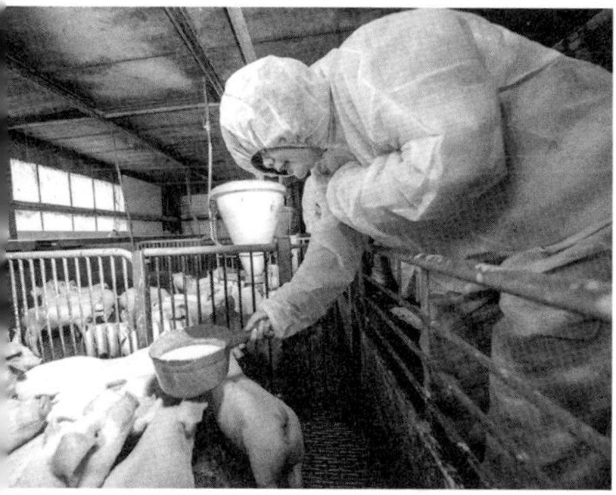

737

國土基盤整備
與
國家永續發展
系列一

15

美好的年代，是心的繫絆

戰後，我的父親白手起家，來到台北，從事汽車修理的事業。當時私人轎車逐漸興起，修車廠的生意不錯。我也得幸於此，衣食無缺地長大。

那些年，我們一起創造的經濟奇蹟

我們這一代人，就是出生於一九五〇到六〇年代的戰後嬰兒潮世代。我們長大的階段，正好遇到戰後台灣的經濟起飛。

六〇年代，美國、日本的製造業正在尋找海外的生產基地。當時的台灣，正在推動出口導向的經濟發展策略，並設置多處加工出口區，因而帶動加工出口業的蓬勃發展，也吸引很多美、日知名業者到台灣設廠。從那個時候開始，加工出口成爲

台灣最主要的經濟成長動能。

當時，充滿商業機會，出口訂單一直來，簡易組裝與加工技術門檻並不高，形成台灣第一波的創業潮，而且企業生產的外溢效果，形成「客廳即工廠」現象，對促進就業及所得平均分配有很大助益。那個時代，政治雖然不民主，但經濟卻很有活力。

直到一九八〇年，新竹科學園區成立，台灣的經濟發展逐漸轉向由資本與技術密集的資訊科技（IT）產業來主導。但傳統產業仍很發達，例如袋包箱產業，也就是皮包、皮箱……等，當時產值達到高峰，台灣成爲名副其實的皮箱王國。

袋包箱的零件很多，拉鍊、釦環、鉚釘，甚至腳輪、拉桿等，這些零件也要仰賴一關又一關的加工，形成綿密的供應網絡。走往路邊鄉間，就會發現到處都是中小型加工廠。那個年代，只要在工廠裡面磨練幾年，「黑手」也可以出來創業變「頭家」。

我在一九八四年從英國回來台灣擔任教職。當時的社會力蓬勃旺盛，政治正在胎動，本土化與民主化運動相對而生，民進黨就是在這樣的時空背景中創立的。自由化、國際化的程度也越來越高，資本市場活絡，民衆越來越有富有。有人用「台灣奇蹟」來讚美這個小而繁榮的經濟體制，此時台灣也列爲「亞洲四小龍」的稱號。台灣人一直在往前衝，覺得事情會越來越好。

樂觀與希望，也許正是那個時候的時代精神。

產業外移的衝擊和蛻變

一九九一年，台灣的GDP成長率是八．四％，失業率是一．五％。在今天看起來，是非常夢幻的數字。但當時台灣已面臨新台幣升值、工資及土地成本激增、環保和勞工運動風起雲湧的衝擊，傳統產業紛紛外移，台灣經濟結構也開始蛻變，科技產業和服務業比重不斷上升。

資訊電子廠商更利用對岸低廉的工資及生產成本，在兩岸進行產業分工，建立「台灣接單、海外生產」的代工出口模式，台灣經濟也自此進入另一個發展階段。代工出口業的興起，爲台灣創造了新的產銷模式，成爲出口及經濟成長的主要動能，但是，代工重視的是效率和成本，因而業者也面臨越來越大的外移壓力。一九九五年，台灣最主要的筆記型電腦代工廠之一——英業達，在上海設立了製造工廠。到了二〇〇〇年之後，廣達、仁寶、緯創等代表性筆電代工廠商已經陸續將生產線移出。

需要更大量勞動力的袋包箱產業，例如皇冠皮件，也從一九九二年開始，逐漸將生產基地轉移到中國廣東。

生產基地的移轉，以企業布局的角度來看，是理性的選擇。確實，中國大陸低成本並且豐沛的勞動力和土地，幫助台商進一步擴大了事業版圖，站穩市場地位。直到今日，全球筆記型電腦和袋包箱產業，台商企業的出貨量仍然維持世界第一，即便生產基地早已不在台灣。

這兩個產業，一個是科技產業、一個是傳統產業，卻有著共同的特色：他們所連結的供應網絡都非常龐大，並且有群聚效應。一個筆記型電腦多達上千個零件，行李箱也不遑多讓，這兩個產業外移，也促使上游廠商一起移出。產業空洞化現象就是如此經年累月所形成的。

中小企業的堅持，未來經濟的曙光

二〇一三年的冬天，我們走進中部鄉下的一間鐵工廠。

這是一間小型企業，裡頭員工大約二、三十人，在不是太明亮的燈光下，熟練地操作著沖床機械。我在休息時間跟他們聊天，發現作業員、師傅的年紀多半是二十到三十歲，都是鄰近鄉里的年輕人。

雖然是寒流來襲的日子，可能因爲機械設備在運轉的關係，工廠裡很溫暖。我跟他們坐在廠內簡單拼製的茶几前泡茶。「中國廠的生產成本很低，我們越來越難

做啦，很多同業都收了。」老闆和老闆娘兩人有點像是在跟我訴苦，期待像是我這樣「有頭有臉」的人物，是不是有辦法幫忙解決經營的問題。

他們還跟我說，雖然生意已經逐漸在走下坡，卻不願意資遣這些年輕人。「他們也辛苦，也很認眞，爸媽就住我們厝邊，怎麼好意思叫他們走？」老闆低聲說：「很多老員工也都跟我們一起拚過來，更不可能請他們走。」

突然有種心疼的感覺。爲人著想，這是台灣人善良的特質之一，卻也看見這些中小型工廠日益蕭條、萎縮的現實。相較於許多成功西進中國的企業，這些留下來的廠商，始終在成本上無法與中國競爭，眞的是他們的錯嗎？

中小企業在台灣經濟成長過程中，曾扮演了減緩貧富差距擴大，維持社會穩定，以及提供充分就業機會、促進社會流動的重要角色。反觀人口五千萬的韓國，政府強力介入，大力挹注少數大型企業，讓他們得以稱霸國際市場，卻造成了市場壟斷、政商關係複雜、社會流動停滯等問題。

張忠謀董事長曾經說，韓國廠商三星是「特殊環境下培養出來的龐然巨獸」。台灣不是不能與其競爭，但政府並不需要培植另一個三星。台灣需要的，是從產業面發掘自身的獨特優勢，分進合擊，建立以小搏大的產業戰略。

我認爲在下一個世代，經濟成長的主力將會是具創新、研發、技術能量的中小企業。中小企業具有財富重分配、增加就業的效果，然而，台灣的中小企業必須進

一步升級與轉型，否則也無能面對更加劇烈的全球挑戰。

未來，要驅動經濟成長，不能單單依靠大企業這樣的大引擎；我們也需要千千萬萬的中小企業做爲靈巧的小引擎。大企業可以支撐規模，中小企業可以在特定技術上單點突破，快速反應；兩者分進合擊，台灣的經濟才能夠持續健全發展。

◎──悶世代呼求改變

過去二十年來，委外生產的風潮是全球性的。交通運輸的便捷與網路科技的成熟，資本、貨物、技術與人員的跨國移動，越來越頻繁。無論是正面或負面，無論是危機或轉機，台灣確實正在承受全球化所帶來的影響。

全球化是一個共通的狀況。但從來沒有一個國家像台灣一樣，在短短不到二十年內，產業以如此高比例、大規模外移到海外尤其是到對岸進行生產，這種「台灣接單、海外生產」的代工出口模式，台灣企業看起來有獲利，GDP在成長；但投資、採購、生產到出貨物流，都不在台灣，也和本地的就業和薪資完全脫節。只有帳面數字的成長，對台灣內部的就業、資金流通與產業生產力的提升，其實沒有太大實質的幫助。

最近一兩年，全球開始密切注意「紅色供應鏈」的衝擊，在對岸的中國廠商

將原本會從外國進口的中間材品，改在本地生產及採購，形成完整的「紅色供應鏈」。其實台灣早就與紅色供應鏈對抗了十幾年。留在台灣的廠商，就像剛剛提到的鐵工廠一樣，面對一個幾乎束手無策的問題：對岸的中國廠商價格，已經成爲產品報價、比價的基準。

如果不轉型，或者再找到新的「藍海」，只能靠著更大強度的降低成本，來維持競爭力，整個社會必須靠著自我剝削來因應。以台灣的人力幅員有限，這種模式必然也無以爲繼。

就業機會流失，薪資成長停滯，民間消費衰退，生活品質下降，形成結構性的惡性循環。低薪已成爲台灣社會、尤其是年輕世代最沉重的焦慮。薪資在二〇一五年的時候，卻倒退至一九九九年，也就是上個世紀末的水準。

另外，就是分配不均的問題。已經是極爲有限的經濟成長果實，無法公平分配，社會各階層的財富差距正在拉大。貧富不均造成教育、醫療與生活水準的分化，甚至影響社會信任的建立。

年輕人的經濟壓力與負擔，日益沉重。我認爲，這也是二〇一四年太陽花學運爆發的導火線之一。他們面對的是一個困難，而且充滿無力感的時代。年輕人的失業率，超過一二%，比韓國、日本都還要高。但是你會發現，他們已經不願意坐困著悶下去。

給年輕人梯子，也要為他們鋪上網子

高失業率、低薪，還有高房價，都是年輕人心中的痛。而且，過不久，他們還要面臨年金、保險破產的問題，以及超高齡社會的壓力。這些問題如果放任擴大，世代的不正義就會越來越嚴重。

我想起我父親的那一代人，因爲戰後經濟蕭條，必須自己絞盡腦汁想新點子，提著一卡皮箱走世界，咬緊牙關闖出一片天。

相較於前幾代人的堅毅，現在的年輕人常常被指責爲抗壓性低弱的草莓族。事實上，每一個世代，包括我年輕的時候，多少也都遭受來自上一代的批評，說年輕人總是缺乏毅力或沒有耐心。

但是，我所接觸到的年輕人，並不是這樣的。

從二〇〇八年接任民進黨黨主席以來，我接觸到許多行業的年輕人。有些在外商企業實習，想多看看另一種文化的優勢，努力增加自己的競爭力；有人積極參與社會運動，甚至不惜上街頭抗爭，正在催化政治與社會的革新；還有到處可見爲了許多易被忽略的小細節，認眞盡責的上班族。他們是我們社會要重視、要珍惜的一群人。

我非常希望年輕人的活力與創意能夠受到重視，支持他們實驗、支持他們嘗試。要給他們梯子，能爬上可以展現自我的舞台，不要讓他們跟現在的台灣社會一樣，悶住了。

造成當前整體氛圍停滯不前的原因，主要還是政府經濟與社會政策失靈，讓人民難有能兼顧生活的工作條件。

當我們鼓勵年輕人挑戰體制，發揮創意時，我們也有義務替他們的失敗分擔風險，這就是「社會安全網絡」的概念。簡單地說，就是給年輕人梯子，也要給他們網子。

當他遭遇失敗，或是一時撐不著了，無法照顧自己的時候，要有一個安全網，讓他不會繼續往下掉，也能夠有緩衝能夠重新站起來，對自己說：「不要怕，再試一次。」政府也許無法幫大家想新點子，但是對於敢衝鋒嘗試、勇於創新的人，政府應該幫他們準備好彈藥，準備好後勤的救援，讓他們在戰場上沒有後顧之憂。

接下來的世界是他們的了，然而，他們正忙著在加班過勞與低薪屈就的兩極之間掙扎。

我感到戒慎恐懼！我們必須不斷提醒自己，不能留下一個註定失敗的未來給年輕人！台灣的經濟與社會的發展，已經走到沒有退路的轉捩點上了。我們必須決定一個方向往前走，而且是一個只能贏、不能輸的方向。

16 從創新到革新，我們可以這樣改變台灣

我忘記是第幾次來到雲林海線了。每一次到這裡的感受，都非常深刻。我們一行人在水泥平房裡圍坐著，喝著主人招待的熱茶。二十幾位皮膚黝黑的養豬農，表情有些靦腆，可是雙眼炯炯有神。

開放或保護？農業的第三條路：升級

許多人不知道，台灣約有八千多戶養豬戶、五百多萬頭豬、每年創造六百億元的產值，養豬業是撐起台灣農業經濟的重要支柱。然而，我們發現，政府談了很多高科技，談了很多文創，但像這種傳統農業久未升級，乃至失去國際競爭力，這類問題卻始終在政府的關懷之外。

令我驚訝的是，當我和這些豬農朋友們談環保，談國際原物料，談產銷失衡問題時，他們都深有共鳴，甚至比我們更明白大環境的問題，能具體指出癥結，希望政府能出面輔導。農民的想法並不落伍，許多新一代的年輕養豬農，甚至自發性地在社群媒體上，成立專業的討論社群，交換最新的飼養技術、肉品知識、國際局勢與心得。透過網路，知識與訊息大幅超前。

在WTO談判中，豬肉問題是各國兵家必爭之地。豬肉是國人主要肉類消費，我們的豬肉除了曾被口蹄疫嚴重打擊，現在，更要面對來自國外的嚴峻挑戰。

舉例來說，養豬要用到大量的水，丹麥的水費比我們貴上二十倍，他們養出來的豬，怎麼有辦法在外銷市場上跟我們競爭呢？因爲，他們養一隻豬的用水量只有我們的十分之一，另外，他們也有先進的沼氣發電市場，讓豬農能夠出售豬糞，來賺取回饋金。

不只技術升級，這是整套經過精心設計的產業鏈，也有社會體系的支持，先進的觀念結合優質的產品，自然在市場上能取得一席之地。

長久以來，我們對農業的討論，都圍繞著「開放」或「保護」兩條路。然而，以我從一九八〇年代中期開始，就參與台灣對外國際談判的經驗來看，我們該走的是第三條路：「升級」。此外，還要結合品質分級制度與產銷履歷，讓好的產品可以被辨識，可以具有國際競爭力。在我看來，沒有任何產業是所謂「夕陽產業」，

只有「夕陽心態」，才會讓產業企業沒落到必須被淘汰。

農業也可以很創意

台灣人從不輕言放棄，連養豬都可以找出新的方法，而且他的成果，讓丹麥專家到訪後也稱讚不已。

陳永雄博士是我這幾年走訪雲林，因緣認識的養豬戶。他有留學德國的背景，放棄安穩的教職，和他的太太林淑玲一起，毅然投入養豬的工作，也曾經到丹麥實地考察，至今已三十年時間。

他的豬是聽莫札特的音樂、吃優格長大的，豬糞被用來發電，還可以提供周圍農友做爲有機肥料使用。雲林縣政府結合陳永雄這樣的新型養豬戶，公私部門一起合作，強化行銷通路，推出「快樂豬」品牌，在市場上享有很好的風評。

我用三年多的時間在台灣走走想想，然後，我們完成了十三支以「在地希望」爲主題的影片。這個計畫也記錄了陳武雄博士這樣另類且充滿創意的在地事業。這並不是競選文宣，我們將它視爲「投石問路」，爲台灣摸索新的發展方向。

我們走訪這些地方之後，給了自己更多的回家作業。

「台灣人不會放棄，政府也不能讓他們失望吧。」在每一次參訪行程後，驅車

回台北的路上，我都這樣想著。

翻轉產業價值

曾經有參與社會運動的年輕人問我：「對於石化這種高污染產業，我們還要繼續讓它營運嗎？」我告訴他，任何既存的產業，都牽涉到許多家庭的生計，我們不能說停就停。

但是，當我們懷抱著不同的價值來思考，事情就會不一樣了。政府可以輔導主事的業者，把產業的價值鏈拉長。

也就是說，政府可以協助轉型升級，當業者引進新技術，將本來的污染物，放到下個生產循環中再利用，做成副產品，整體利潤就會提高，終端污染也降低了。在產業升級的過程中，也可以培養更多高階技職人才，提升整體人力素質。

政府做為一個平台，讓廠商、當地居民，以及環保團體的想法與作法，有個公開透明、順暢溝通的管道。要達成所有人都滿意的結果，一定是耗時費力的過程。但是我相信，在民主社會裡，所有人都應該獲得尊重，還有許多重要的價值——比效率更重要的價值——值得我們追求。而且，欲速則不達，純粹追求效率，做出錯誤的決策或者造成社會的對立，反而要付出更多外部成本，也是得不償失。

我心中理想的經濟發展願景，就是要照顧到不同群體的生計與尊嚴；並且，在發展產業的同時，也要能夠回應社會的進步價值。

以「創新」為動能的經濟發展新模式

經過這幾年的思考與討論，我們慢慢整理出一套完整的經濟發展看法。經濟的成長不是只看GDP而已，應該同時也要用「充分就業」與「公平分配」來衡量成長的品質，並且把「永續發展」做爲經濟發展的目標。

所以，我們勢必要有一個新的經濟模式、新的產業結構來支撐這樣的願景。我認爲，最關鍵的動能，就是創新。

在現有的產品與服務上改良，或加以連結，讓一加一大於二，是一種創新；提供市場上沒有的服務，也是創新。創新是一種打破成規的破壞性的力量，回應人們的需求，甚至重新定義出生活的方式。

最重要的是，我們應該鼓勵「想法」先於技術，而不是等到有了新技術，才開始想如何應用。做爲一個代工型的經濟與社會體制，台灣的製造與技術能力很強，比較欠缺的是好的想法，以及對於消費市場資訊的掌握能力，無論是教育、研發體制甚至公司治理等面向，都必須徹底改革。

尤其是我們的高等教育，已經過度重視評鑑，過度重視學術著作的數量，反而壓抑了許多創新與研發的能量，也跟社會的需求脫節。高端的學術研究無法支持社會與產業的發展，使得許多優秀的高教人才，要浪費精力在應付評鑑上，這樣的體制也非改不可。

我的企圖心：用創新力來突破困境

創新也包含創業。年輕人可以自行開設民宿，靠著親切的服務與精緻的空間設計，做出很好的口碑，與其它旅館或民宿經營業者有所區隔；另外，像是來自矽谷新創團隊的 Airbnb，建立出全新的在地租屋服務模式。這兩者都是創業，但顯然政府應該要針對後者做更多的事情，包括法規的調整與新的監督機制的建立等。因爲，民宿或旅館有法可管，Airbnb 無法可管，卻又是不可忽略的商業機會。

新創公司所提供的服務，往往不是既有政府組織或制度可以有效規範的；要讓新創公司完全遵守舊體制，難免是削足適履，抑制了他們的成長。但是，完全不管現行規範，放任自行運作，又容易造成市場的混亂。Airbnb 這種共享經濟的模式，一定會和民宿與旅館業者的利益有所衝突；住宿客的安全與消費保障，目前也很難積極管理。

如何保障市場上舊有業者與消費者的權益，同時又幫助新創公司成長？如果我們期待創新的破壞性力量能夠改變台灣的經濟體質，政府就要想出方法，替社會分攤風險。再怎麼陷入兩難，這都是一個有心支持創新的政府，無可迴避的功課。無論如何，台灣要突破現今的經濟困境，必須先突破原本習以爲常的思考，應該要以創新及價值導向做爲競爭力的來源，政府也必須有介入的勇氣。

「二〇二五非核家園」的目標，距離現在僅剩十年；科技產業遇到「紅色供應鏈」威脅，傳統產業也有升級與轉型的壓力。面對這些關卡，只有依靠創新才有可能促成全面的經濟與社會轉軌。執政團隊必須要展現企圖心，不要排斥改變，而是要參與改變，才能在既有的產業基礎上，找出一條可行而且有特色的發展道路，逐步達成經濟自主、永續發展的目標。

不排斥改變
反而要參與改變

17

「以人爲本」的新經濟

這幾年，我有機會到台灣各個地方，跟各種產業界的朋友見面。企業有大如台積電，在全球有好幾萬名員工。也有小巧的公司，只有老闆和老闆娘兩個人，董事長要兼送貨司機。

台灣是最適合創業的地方

不論在新莊，或是彰化的和美，我們都可以看到很多這樣的小工廠，有做模具、沖壓、塑膠射出，或者是電鍍的。我也看到兩、三個年輕人，買一台電腦車床，就開始接單做零件加工。

這些散布台灣鄉間的加工廠，規模都很小，受到產業外移的影響，生意當然經

營得很辛苦。很多人看到這樣產業的景況，馬上就會聯想到「沒落」。可是我看到的是另外兩個字——「機會」。

雖然這些工廠不一定掌握什麼世界級的專利，但技術都不錯，價格也有競爭力，反應快，有彈性。更重要的是，整個加工的供應鏈都算完整，有少量多樣的製造能力。這是一個提供產品創新、新產品開發非常好的環境。

也就是說，當舊金山的某位年輕人，有個創新產品的想法，但資金不多，也無法承擔太高的市場風險，一開始只想要做五百個或一千個來測試消費者接受度，那我會推薦他到新莊或和美。這裡可以找到適合的廠商，可以做出任何他想得到的新創產品，幫助他跨出第一步。而且這麼一來，台灣的廠商，也會得到外來的刺激，產生好的成長效果。

我要強調的是，台灣不是沒有競爭力。台灣擁有對創新、有創意的人最友善的產業生態環境。但是，如果政府不了解台灣現在產業的優勢，不去做適當的媒合，只是在灑錢補助，對研發人員、對創新事業都是一種傷害，他們如果要成功，最後一定還是要通過市場殘酷的考驗。

政府要像集線器

政府要做的，就是去把不同的社會部門連結起來。政府要像hub集線器，讓製造、技術、創意、行銷和資本，都連結起來，經營出一個「網絡」。把產品的品質與價值做出來，盡快將新產品推上市場，才是眞正有助於創新。

爲什麼我們要特別講「網絡」？因爲未來的產品，一定會不斷翻轉我們的想像，現有的供應鏈可能都會重組與跨界結合。例如，原本做烤箱的，到了物聯網時代，就可以跟通訊廠採購天線與模組，改造成智慧烤箱，藉由電腦視覺運算技術，讓烹飪從此不失手。台中機密機械製造，也可以結合新竹的資通訊零件廠，以及台北的雲端應用公司，來開發智慧化的生產系統——也就是工業4.0的趨勢。

同理來看農產品。如果我們希望讓整個東亞做爲台灣的農產品市場，就要強化生鮮冷藏、冷凍的物流技術、機場冷藏設施。代表產品信用的產銷履歷，也要結合二維條碼（QR code），甚至電子標籤（RFID），進一步的數位化與科技化。農產品從生產到行銷販售，除了不同的廠商要彼此合作，政府也必須跨部會合作。農委會、經濟部、交通部、管理食品安全的食藥署，甚至地方政府，都要組成專案小組來推動。

台灣人很會做生意，我相信廠商反應都很快，只怕政府跟不上，拖累產業的發展。外商對於台灣的政府效能多半有負面的印象。我們的法令與政府結構，是依照工業時代的思維來建立，現在是智慧化與高度去中心化的後工業時代，政府體制就要更有彈性，更有效能，才能面對未來的挑戰。

三大重點產業：未來、新能源與生活產業

把不同的政府部門與社會部門串連起來，打造適合創新與研發的產業環境，正是我在思考產業政策的基本作法。

但是，國家的資源畢竟有限。所以，我們的產業政策，一方面要有計畫、有方向感，才不會漫無目的，演變成灑錢補助；另一方面，仍然要盡可能面面俱到，完善照顧現有產業。

即便台灣的經濟失去成長動能，但不代表台灣的廠商沒有競爭力。我們有很好的製造能力與營業效率，也有務實與充滿拚勁的企業精神，只是沒有找到新的產品目標，結果卡在進也不是，退也捨不得的困境之中。

下個世代的商業趨勢是什麼？什麼樣的商品或服務，適合由台灣來提供？台灣如何在全球市場上重新找到不可取代的一席之地？如何讓台灣下一波產業發展的過

程，同時達到財富分配與充分就業的效果？面對這些問題，無庸置疑，政府應該扮演定義方向的策略性角色。

我們所提出的產業政策，就是希望連結到台灣現有的供應網絡與社會條件，兼顧以中小企業爲主的產業型態。在既有產業利基上，注入新的發展動能。讓新的模式和舊的結構相互結合，希望把所有的廠商都一起拉進發展的隊伍，不要讓任何人落隊了。對於曾經造訪的那些鄉間的鐵工廠、尙未轉型的養豬戶，這也是我對他們的承諾。

台灣的資通訊產業，無論是晶片、記憶體或天線、模組等關鍵零組件的設計與製造上，已經有深厚的技術實力。在這個基礎上，「物聯網」就是接下來我們務必要把握住的商業機會——也是張忠謀董事長所說的「下一個大事件」。

下一個大事件，必然成就下一筆大生意。資通訊產業和傳統的家用家電、穿戴產品乃至於醫療照顧、物流設備廠商，會有大規模的合作機會，對雙方的營收與出貨量都有所助益。每一件日常生活所需的物品與設備，如果透過網路連結起來，我們會進入前所未有的智慧化時代。在物聯網架構底下，人的行爲最終也會被蒐集成大數據，透過合理的應用，可以更進一步確保科技的便利、安全與人性化，最後將會促成社會生活的改變。

此外，台灣的精密機械、工具機製造原本也有國際競爭的優勢，如果可與資通

訊廠商進一步結合，台灣有機會成爲智慧化生產的先端國家，而這正是邁入工業4.0時代我們必須要有的戰略思維——擺脫框架，以更開放的視野，來全力發展的「未來產業」。

其次，台灣應該全力發展的是「新能源產業」。我認爲台灣不是缺電，而是沒有適當的能源管理與能源開發的政策，包括節能設備、火力發電的轉型與再生能源的投資，都是迫在眉睫的工作。

民進黨已經設下時間表，我們希望以建立綠色智慧電網做爲目標；到二〇二五年的時候，再生能源要達到總發電量的二〇%（五百億度），並透過提升能源使用效率，在合理的電力需求成長下，達到節電一〇%（三百億度）的目標，並管理及調度尖峰負載，來降低限電風險。此外，火力發電也要提高效率，並翻轉煤、氣發電比例，控制空污與碳排放量。

新能源產業的發展是一個環環相扣的系統，也是非常有發展潛力的市場。更重要的是，非核家園已經成爲台灣社會的共識，民進黨若要繼續做爲觀念變革的引導者，我們就必須先跨出這一步。

最後，是與民衆生活切身相關的「生活產業」。包括新農業、觀光、防災技術、住宅改造、照顧產業……等。這些都是可以改善生活品質，卻一直沒有被認眞重視的產業。之所以受到忽略，我想，是因爲我們對於內需市場一直有著迷思。

從內需市場找到藍海

台灣的經濟成長向來依靠外銷出口的表現。有時候我們會陷入一種偏見，認為出口部門才能眞正提供產値。但是，過度重視出口，至少會造成兩個問題。

第一，當全球需求趨緩的時候，對我們經濟的衝擊就會很大。第二，內需市場的經營一直沒有受到重視。過去我們總是認爲台灣內需市場很小，事實上，我認爲內需市場還有很多商業機會。而且，內需市場的活絡，一方面能夠降低經濟的風險，另一方面，這也是可以改善台灣生活品質的重要策略。

舉例來說，都市更新就是一個很大的市場。在全台灣，屋齡超過三十年的住宅約三百五十五萬戶。我們著手計算，如果以二十年進行更新，以每戶三十坪、每坪營造成本十萬元計，整體重建的營造產値高達十．五兆元，平均每年對經濟的直接貢獻至少在五千億元以上。過去幾年，都市更新似乎變成負面的名詞，不是藉爲炒地皮的手段，就是徵收浮濫造成社會紛擾。

我認爲，都市更新要公辦、民辦併行，讓都市更新可以眞正改善民衆生活與居住品質。政府要做到公平，並且透過策略性地引導，那麼將來無論是無障礙住宅、高齡住宅、智慧電網、智慧城市……等，這些新的觀念與設備，都可以應用在都

市更新上。對於工程、節能、資通訊廠商而言，都是很大的內需市場。這些更新的規畫方案，如果選定幾個重點展示據點，也可以做為外銷、進軍全球市場的樣品案例。

另外一個內需市場的例子，就是長期照護。在台灣，人口老化也是一個重大問題。我們的六十五歲以上人口增加速度非常快速，目前老年人口高達二百八十一萬人，我們預估二〇二五年將逼近五百萬，占了人口數的二〇%，「超高齡社會」勢必來臨，這是一個無法逃避的趨勢。

民進黨透過各種調查，了解「長期照顧」已經是人民最關心的議題之一。我所提出的托育、長照、就業三合一的照顧政策就是要回應人民的需求。讓照顧事業成為社區共同參與的產業；社區型居家與機構式日夜間照護、送餐、臨托、復健、保健等軟硬體設施的建立與經營，也能相對創造出在地照護師、社工、幼教、廚師、保母的就業機會。這就是一個可以提高在地經濟產值、促進在地就業，又可以改善生活的內需型產業。

社會創新就是經濟力

二〇一五年年初，我來到苗栗的南庄。南庄位於中港溪流域旁，曾是台三線客

家產業的重心。現在，如同許多客家庄一樣的命運，南庄也在面對人口流失與產業沒落的問題。

有位年輕人叫做邱星崴，結束研究所的學業後，回到南庄——這個他長大的地方。他開設一間名爲「老寮」的民宿，並且以這個民宿爲據點，發掘當地社區的農產與傳統工藝資源。他說，希望將一級的製造、二級的加工、三級的服務乃至四級的體驗整合起來，重新活化社區產業的供應鏈。

我造訪的時候，剛好有一位韓國農夫來打工換宿，他很好奇這裡的有機農業與作法。我看著他們熱絡的互動，心裡想著：一個年輕人回到家鄉，其實是帶回一整個世界。

這樣的世界如何進來？最大的可能就是從網路走進來。這個無遠弗屆的媒介，讓外地人大有機會遠距認識，而讓他願意不惜千里遠來消費的，就是我們「本地獨有」的體驗。這正是一種「以人爲本」的經濟新模式！

我認爲，客家庄的產業如果有好的發展，就會有好的工作與創業機會，年輕人自然想回家。更重要的是，回到客家庄，就一定開始說客家話。這才是發展客家文化最好的辦法。南庄老寮所做的努力，就是將社會創新的理念結合地方經濟發展的目標，爲客家庄找到新的出路。我很希望，這樣的社會實驗，可以推行到台灣的各個角落。

這麼多年來，因爲我們過度重視GDP做爲成長指標，追求發展的效率，無法兼顧分配、生活品質與環境永續等問題，也造成南北區域失衡與世代不正義的情形。很多社會問題是由民間自力救濟的方式在解決，這是政府的失職。

過去我們在處理經濟議題的時候，往往忽略社會面向的討論。現在我們了解到，產業發展跟社會其實密不可分。

日常生活的問題可以提供產業很多創新的題材，產業的創新亦可回過頭解決社會問題，例如地方人口流失、食品安全、長期照護、節能……等，這些都是台灣社會極需發展與重振的領域。將這些失落的環節，一塊一塊補起來，讓民眾的生活更有尊嚴。在全球市場上，台灣的產業也能找到無可取代的競爭力。

把社會需求的觀點帶回經濟發展的視野裡，創新就不僅僅是狹義的科技研發，也包括制度的改造與文化的革新。社會創新就是我們的經濟力。台灣的下一個階段應該重視人的需求與人的尊嚴，努力推動「以人爲本」的新經濟。

10/22/2015

外交

Chapter 6

小英

RUSSELL
SENATE OFFICE BUILDIN

大華府

HAKKA 1
Ford

SEMPER
FIDELIS

CSIS

18 爲外交工作扎根奠基

「主席，送妳一個杯子！」

二〇一四年九合一大選後回任民進黨副秘書長，我最重要的政策幕僚與文膽之一的劉建忻，在例行中常會前，手裡拿著一個馬克杯走到我面前說：「這個『尤達杯』是朋友在我們訪美第一天特地託人送來給我的，但現在我覺得它更適合妳。」

我當然知道他想連結前幾天出刊的《時代雜誌》封面照。那張相片是由知名戰地攝影記者亞當・費格遜（Adam Ferguson）所攝，刻意寫實的風格，拍出了我的皺紋、我眉頭深鎖的樣子，被許多網友形容，很像《星際大戰》裡的智者「尤達」。

那天稍晚的中常會，因爲要幫忙推銷南投縣生產的在地荔枝，預定開放媒體進來拍攝，如果把我平日使用那個刻著自己名字的杯子，換成「尤達杯」，不但是透過媒體表示「我知道大家的 kuso 梗」了，也是傳達「沒關係，我也接受哦！」的輕

鬆心情。

「好啊！」我一口答應，「這還滿好笑的。」我喜歡幕僚在巨大的壓力下，仍能保持幽默感，對於這個點子以及後續將引發的網友反應，就像是跟民衆擁有一種不必言說的默契一樣，我覺得很有趣，也很溫暖。

選舉總是相互叫陣、充滿壓力的對戰過程，有時能自我解嘲、幽默一下，保持彈性，都是好事，因爲選舉過程中，很多事是意料之外的。

就像這只尤達杯，和《時代雜誌》的封面照，都是意外的驚喜，不過，也剛好成爲訪美這段旅程後，一個深刻又有趣的註腳。

努力化解美國疑慮

二〇一二年總統大選之前，我們也曾經造訪美國。那一次，我們人還沒離開美國，《金融時報》就刊出一篇報導，內容大概是：「一位美國資深官員表示，蔡英文引發了人們對台海安定的憂慮，而台海安定對美國『至關重要』。這位官員表示：『她給我們留下很多疑問，就是她是否願意並能夠繼續維繫台海兩岸近年享有的穩定關係』」。

雖然事後美國國務員的官員說，這篇報導中引述的內容，不能代表美國政府的

立場，但以我多年來參與國際談判事務的經驗，我知道，這些訊息足以說明了，我們在與美方溝通和爭取信任的相關工作上，準備還不足，而對於美方關切我們能否維繫台海安定的部分，我們也還未獲得信任。

我必須承認，二〇〇八年接任民進黨主席後，我的全部心力，都在讓這個黨恢復元氣。透過一場又一場的選舉，一次又一次的勝利，逐漸增加的地方執政縣市和立委席次，慢慢把民進黨的元氣養回來，也把民進黨支持者的信心找回來。

那幾年我們在外交方面，確實努力不夠。

台灣的外交環境艱困，但是多年來，我們勤奮熱情樂於交友的人民，我們努力實行的民主，都累積了深厚的國際聲譽，也在各地擁有許多好朋友。

這些都是台灣的軟實力，更是我們可以在艱困的外交環境中，突圍的優勢。

前面提過，在二〇一二年之後，我去了印度、以色列、印尼等不同區域的發展中國家，正是出於這樣的思考。台灣需要跟世界上不同的國家交朋友、建立友誼，更需要強化加深與老朋友之間的情誼。

而美國，就是台灣的民主老友。

向世界發聲的堅強後盾

二〇一二年選後，我念茲在茲的，就是要來補足前幾年未能好好準備的外交工作。卸下了黨主席的身分，在小英基金會裡，我有更多的空間和彈性，透過不同途徑，多管齊下的來進行。

首先，是強化台灣對外的發聲管道。

近年來，外籍媒體多以香港或北京為亞洲華人地區的主要駐點，早年派駐在台灣，關切兩岸發展與台灣民主化的外媒，這幾年紛紛撤離，只在偶有重大新聞時，才從亞洲其他地方調派記者前來。失去了對台灣社會民情的第一手觀察，再加上長期以來民進黨在外交圈和外媒圈的耕耘不足，我擔心外媒對台灣的報導，會失之偏頗。

既然我們沒有辦法去改變或影響，外籍媒體在全球各城市的駐點布局方式，那麼，在這個網路科技發達的時代裡，我們就發揮自己的力量，把台灣的聲音發出去吧！

我心裡的這個想法，一直等到人才齊備了，才有機會真正落實。

在台灣的英文媒體《台北時報》工作，長年關心台灣民主發展與社會運動的加

拿大籍資深記者寇謐將（J. Michael Cole），以及他的太太、同樣長期關心台灣民主政治的美國奧斯丁大學政治學訪問助理教授陳婉宜（Ketty W. Chen），兩人原本是計畫在二〇一四年年初離開台灣。送別之際，我開口跟他們夫妻倆說：「請留下來。」因爲我知道，了解台灣民主化歷史、同情並理解台灣社會的國際事務人才，非常珍貴。

以寇謐將和陳婉宜的資歷，可以爲台灣在國際間發聲。

基金會已經有了中文版的《想想論壇》，我邀請寇謐將創設英文版的《想想論壇》。

這個平台，可以對國際社會傳遞台灣對自身問題的思考和分析，我想讓國際間的朋友知道，台灣不只有美麗的風景及人情味，我們還有一群人，很努力的爲這個國家尋找出路。寇謐將被我說服了，他接下了這份工作。

二〇一四年五月，我再度接下黨主席的重擔，也進一步邀請陳婉宜擔任國際事務部副主任。爲了確保和美國之間的密切互動，我需要繼續加強黨內處理外交事務的團隊。

二〇一二年選後，蘇貞昌主席便在美國首府華盛頓，恢復了民進黨駐美代表處的設立，直接傳達民進黨的想法，也和美國政府、國會等進行互動和溝通。

我接任主席之後，請蘇主席任內的政策會執行長兼駐美代表吳釗燮，接下秘書

長的職務，便是希望借重他在外交事務上的豐富經驗，繼續協助民進黨，讓我們能把二〇一二年未竟全功的外交工作，充分準備起來。

而自我接任黨主席開始，吳釗燮和長久以來協助我處理外交事務的立委蕭美琴，定期前往美國，與美方建立起一個穩定、持續性的溝通平台。

除了強化黨內原有的外交能量之外，我們也持續從外界爲民進黨引入人才。也曾在《台北時報》擔任記者的趙怡翔，成爲國際部第二位副主任，爲我們注入年輕世代的外交觀點。

最後，前外交部長黃志芳，也在二〇一五年一月接下國際部主任的職務。他在兩岸及外交事務皆具備多年的實務經驗，加入我們成爲黨內「美國隊」團隊中最後一塊關鍵拼圖。

這一群人，構成了我二〇一五年美國之旅的最堅強後盾。

與AIT處長的互動

人事安排是我們推動外交工作的基礎，但外交工作不只是硬邦邦的拜會或談判，而是「交朋友」。和朋友相處，總有許多輕鬆生活化的面向，有時，甚至是發生在我家的餐桌上。

二〇一四年中，我開始邀請時任美國在台協會處長馬啓思（Christopher Marut）與他的團隊到家中用餐或享用下午茶。如果說，秘書長吳釗燮和立委蕭美琴，是每幾個月去「別人家」交朋友，我則是把朋友邀請來我家作客。

一次次的相會，我會把握機會推廣台灣的在地食材，也介紹對環境友善的小農農產品與肉品，給這些朋友享用。在輕鬆氣氛中，我們卻是嚴肅討論許多涉及台美關係的重大議題，包括日後訪美的若干議程和行程，也在我家的客廳，逐漸成型。

美國在台協會相當用心，在馬啓思離開台灣前最後一次的餐會，請我和黨務主管們吃晚餐，還特別請留法的點心師傅，準備甜點。透過一次次的餐會，建立穩固的溝通管道。

維繫良好情誼的工作，涵蓋各層級。吳釗燮秘書長與美國在台協會副處長與政治組長培養了深厚的友誼，而我最重要的財經幕僚，民進黨智庫新境界基金會執行長林全，也經常與美方經濟組長開會，討論台美未來潛在的經貿合作方案；即便是國際部的基層同仁，也時常與美方官員相聚，確保更完整、即時的溝通管道。

黨內同仁也藉著頻頻舉辦外交使節或外籍媒體的茶敘，縮短民進黨與國際社會的距離。

這些一點一滴的努力，都爲我日後的訪美之旅，打下堅實的基礎。畢竟，每一個支持台灣的朋友，我們都應該要珍惜。

19

點亮台灣，民主夥伴

台美之間，有許多共同重視的議題，包括「國防安全」「經濟合作」「國際空間」與「兩岸關係」。訪美之前，我們必須就這些美國和民進黨共同重視的議題做好準備，我請吳釗燮負責統籌，與黨內智庫交流彙整，也與美方進行全盤溝通。

這些都是基礎的打底工作，若我們準備不足，根基不穩，不光是與美方之間的互信將受到影響，訪美行程的安排也將困難倍增。因此，吳釗燮也肩負重任，要確保我在參訪行程中，能跟美方行政部門進行完整的溝通與交流。

訪美議題的準備

「國防安全」部分，是從蘇貞昌主席任內就開始進行的工作。時任政策會執行長的吳釗燮與新境界國防小組召集人陳文政，在蘇主席任內，就針對台灣的國防政策，撰寫《國防藍皮書》，做爲未來民進黨執政的參考。這些藍皮書獲得美方高度的關注，也針對未來台灣的國防投資、國防產業的發展，以及兵力需求，做出完整與符合實際的規畫。

其中一項重要的政策闡述，就是對本土國防產業的投入，讓國防投資與未來經濟發展相結合。這也是我參訪以色列的心得。前面提過，以色列是個全民皆兵的國家，但國防工業卻與國家發展息息相關，國防投資不僅能帶動科技產業的發展，軍隊同時也是培育人才的場所。

從以色列回來後，我就一直在思考，台灣的國防也可以朝向產業、經濟的發展模式轉型；本土的國防產業除了要能提升國家安全，要培養人才，要發展新型科技，也要能夠轉換爲國家未來的經濟和產業的投資。

「經濟合作」部分，美國向來是台灣重要的貿易夥伴，也是亞太經濟整合的重要推手。從二〇一四年七月起，林全與美國在台協會經濟組固定週期的密切互動，

就包括台灣參與「跨太平洋戰略經濟夥伴關係協議」(TPP)的可能、台美之間的創新合作，以及其他雙邊貿易等議題。

有了雙方的討論做爲基礎，林全帶領新境界基金會，後來也成立一個「TPP小組」，研究台灣加入TPP後的因應與配套措施。

在我訪問美國的一個月之前，林全、中研院院士胡勝正，以及前金管會主委施俊吉，也特別先前往華府，就台灣經濟發展與TPP的議題，和美國政府內相關的行政部門做面對面的充分討論和溝通。這也是我們訪美前的重要準備工作之一。

而在「國際空間」的處理上，我們除了會持續推動經濟與產業改革，確保台灣不會在下一階段亞太地區的區域整合缺席，也有對於區域和平與維持兩岸關係的決心。台灣的國際空間雖然艱困，但我們從不自外於國際社會，會持續透過貢獻國際社群成員之一的力量，拓展我們的國際空間。

民進黨如何處理「兩岸關係」，也是美方關切的焦點。其實我早在二〇一五年四月九日的中國事務委員會中，就已提出未來處理兩岸事務的基本立場，我將會以「維持現狀」做爲處理兩岸事務的核心原則，維繫台海和平及持續兩岸關係穩定發展的現狀。

其實台灣的普遍民意，都希望和對岸維持和平穩定關係，同時也能保有台灣的民主價值和未來自主性，這是民進黨重返執政對台灣人民的責任和堅定承諾。我們

也有信心，能夠在當前複雜的國際情勢中，維繫台海的和平穩定，並且為下一代留住最多的空間和選擇。

此外，我在四月十五日正式獲得民進黨提名參選二〇一六年總統大選的參選演說中表示，兩岸關係不是「國共關係」，未來也不會是「民共關係」。民進黨會承擔改革責任，堅定推動完成《兩岸協議監督條例》的立法，為兩岸持續交流協商，建立周全規範；對於現在仍在進行協商或審議的兩岸協議，未來重返執政後，將依監督條例逐案檢視，繼續協商，將兩岸的互動，引導到一個具有堅實民意基礎的民主軌道上。

美國政府一向關注台海局勢，我預計利用這次訪美機會，就民進黨將如何處理兩岸議題與美國友人充分溝通，建立互信，並且讓這份互信成為確保兩岸和平穩定發展的正面因素。

在赴美前，我們為台美間共同關切的各項議題，逐步從打底、穩固根基的工作，建立起讓人信賴而具體的合作項目。

我一向認為，雙向的實質交流，才是鞏固台美情誼最重要的元素。我們將前往美方智庫、國會，以及行政部門拜會，並與關注台灣未來發展的學者們見面，對各項台美交流議題做周全的準備，也能做為我們與美方各部門互動、溝通的依據。

吳釗燮建議，除了與美方政界、學界直接互動時，說明我們對各項議題的態

度，我們在華府參訪期間，也可以透過公開演說的方式闡明。此外，針對不在場但關心台灣的人，我們更可以直接投書美國主要媒體，讓大家都有管道了解我們的想法。

不論是直接互動、公開演說或媒體投書，我們的準備工作都早在訪美前數個月，甚至數年前就開始。我們要在此行清楚表明民進黨的基本立場與核心原則、價值，也要提出我們有心維繫區域和平，以及台灣能夠引領亞洲的視野和觀點。

啓程赴美

經歷了許多準備，和半年的籌畫工作，二〇一五「點亮台灣．民主夥伴之旅」終於要啓程了。

出訪的陣容，包括由秘書長吳釗燮與副秘書長劉建忻率領的國際部、新聞部、媒體創意中心同仁，以及立法院外交委員會召集委員蕭美琴，鄉親們指定的李應元委員和王定宇前議員，總共二十一人的幕僚團，加上共三十二位記者的媒體團。我們在五月二十九日出發，六月九日抵台，全程十二天，橫跨洛杉磯、芝加哥、華盛頓、紐約、休士頓、舊金山等六個城市，扣掉頭尾飛行時間，平均一個城市含交通僅待一到兩天，被稱爲「鋼鐵人行程」。

曾經有一度，我們設定的訪美時間是三月，希望盡快完成這項重要的外交工作，回來後能專注於總統選戰。但經過和秘書長、美琴的多次討論，我決定將出訪日期訂在六月初。

最重要的原因是，我知道有太多人睜大了雙眼，等著看這一趟訪美是成功還是失敗，所以我一定要做最周詳的準備。讓我操心的不是自己的成敗，而是身上背負著太多人的期待，我絕不能辜負。

五月初，在吳釗燮固定前往美國的拜會行程中，跟美國國務院進行了最後一次確認，六月的第一週拜訪華府，因而定案。

在訪美的時程向媒體公布後，不意外地引起許多關注。媒體回顧了我四年前的訪美行，部分人士定調這一趟行程爲「蔡英文的赴美口試」。

對於這樣的說法，我選擇在抵達美國的第一天強勢回應。訪美行程雖然遠離台灣，但是隨行有三十二位記者朋友，我此刻的媒體發聲能量，可能比在台灣還大。

我不是來面試的！

五月三十一日晚間，洛杉磯的飯店裡擠滿了六、七百位台僑。我對他們說，我到美國不是來面試的，而是要向國際傳達兩個重要的訊息：第一，台灣人永遠堅

持民主自由的方式，兩千三百萬人民絕對不容許，現有的民主體制有任何一點的倒退。第二，我們兩岸政策的重點是「維持現狀」，維持台海和平與兩岸的穩定發展，將是民進黨執政後的重要目標。我們雖然不是個大國，但願意扛起國際社會的責任，台灣將成爲亞太安定的力量，而不是隱憂！

我也告訴在美國的台灣同鄉，爲什麼我的兩岸政策是「維持現狀」。因爲我把「穩定台海局勢」，看做是未來施政很要緊的一件事。只有一個穩定的台海局面，才能讓我們在未來的四年或八年當中，有足夠的能量和時間去壯大台灣，去充實民主、創新經濟、建立公義。

這是我訪美行的第一場公開演講。不只是要反駁「面試說」，我選擇在這個時間點，向支持者說明我對國家的戰略思考。

此行赴美的重頭戲之一，就是拜訪老朋友，並且爭取新朋友的支持。台灣有著艱難的國際處境，我們必須利用各種機會，爭取國際友人的友誼和支持，無論是政界或學界的朋友，未來都有可能助台灣一臂之力。

就像美國國會現任外交委員會主席羅伊斯（Ed Royce），他不但長期替洛杉磯的台僑發聲，在過去兩年擔任國會外交委員會的主席時，也推動許多有利於台灣的重要法案，協助台灣參與國際組織，不斷替我們在國際民航組織（ICAO）爭取成爲觀察員，向世界衛生組織提案讓台灣從觀察員晉身成爲會員，在國會中重申《台灣關

係法》的重要性，並且授權出售台灣四艘佩里級巡防艦，幫助台灣提升國防能力。

在洛杉磯第一場台僑晚宴時，他就到場致意，我也當著台僑鄉親的面對，特別感謝這位老朋友對台灣的貢獻。

加州洛杉磯有眾多的台僑與華僑，更有台裔和華裔的眾議員代表當地民意。我們分別和台裔眾議員劉雲平（Ted Lieu）以及華裔女性眾議員趙美心（Judy Chu）會面，針對台美雙邊關切的貿易關係、勞工議題等項目進行討論。

我們也積極拜會學界的朋友們。例如南加大美中學院院長杜克雷教授（Dr. Clayton Dube），他長期關注台灣政治，也是研究中美關係的重量級學者。在訪問洛杉磯期間，他和另外十位國際關係領域的學者前來拜訪，對我們的兩岸政策抱持肯定的態度。在我們回台後不久，他也帶領南加州地區的高中老師訪問台灣，將我們民主政治的運作和社會發展介紹給更多美國的朋友。

在芝加哥，我們也前往學術重鎮——芝加哥大學，拜訪素有「現實主義大師」之稱的國際關係學者米爾思海默（John Mearsheimer）以及多位關心台灣的學者。米爾思海默在二〇一四年，曾發表〈告別台灣〉（Say Goodbye to Taiwan）一文，被外界視爲美國放棄經營台美關係的跡象，曾引起不小風波。

但我們一見面，米爾思海默就主動對我澄清說，「棄台論」絕非他的本意，這個文章標題是編輯下的。他解釋那篇文章的主要論述是，台商在九〇年代大舉投資

中國，幫中國把經濟發展起來，而中國的國力持續壯大，美國要保護台灣就會越來越困難，即使如此，他強調，這不代表美國應當拋棄台灣。

他更對我說，美國不應放棄台灣，因爲台灣對美國有戰略的重要性，若放棄台灣，美國的同盟國包括日本，對美國的信心將會受到極大的衝擊。

我很慶幸我們能夠直接碰面、直接溝通，澄清了不必要的誤會，也和這位支持台灣的國際級學者成了朋友。

20 一個簡單的事實，就是我走進去了

在美國的期間，每一天要拋出怎樣的政治訊息，是很重要的規畫。一方面必須延續我們在台灣對兩岸和外交論述的定錨工作，另一方面是，隨行的媒體朋友每天都有交稿的壓力，如何把他們「餵飽」，是新聞部很頭疼的事。

《華爾街日報》投書：四管齊下的對外政策

在出發前，吳秘書長就規畫了投書美國主要媒體，透過這樣的方式，讓美國關心台灣的朋友們，都能深入了解我們的想法。就在我們從芝加哥前往華府的那天，美東時間六月一日，投書出刊了。

《華爾街日報》爲這篇投書下的標題是〈台美關係更上一層樓〉（Taiwan Can

Build on U.S. Ties）。文章中，我以提綱挈領的方式，勾勒出民進黨對台美關係的看法。

我提出，台灣未來需要「四管齊下」的對外政策，第一、擴大與美國多面向的合作；第二、找出台灣可以參與其中並有利於國際社會的國際性計畫；第三、透過貿易多元化，保護台灣的經濟自主性；第四、增進與北京有原則性的互動。

這篇投書，也成爲我們和華府政要、國會議員與智庫學者們會面時的互動基礎，普遍獲得肯定，被認爲對整體台美關係與兩岸的和平穩定有幫助。

不過在這之前，幕僚們爲了出刊時機遲遲無法確定，曾經萬分焦急，不斷發電子信函向民進黨駐美代表處再三詢問。後來及時在抵達華府當天出刊，時機點獲得了讚賞，輿論界認爲我們前往華盛頓，眞的是有備而來。其實這是個非操之在我的選擇，但的確爲我們華盛頓行程鋪排了一個好開場。

和媒體大玩捉迷藏

六月二日，我們在華盛頓的第一個行程，是前進美國國會，拜會共和黨參議院軍事委員會主席麥肯（John McCain）、民主黨參議員李德（Jack Reed）、共和黨參議員蘇利文（Dan Sullivan），針對台灣加入區域經濟組織、軍事合作等台美合作關係等議

題交換意見。當聽到我說，希望未來能深化台美之間的軍事合作，麥肯特別表示，未來將積極推動台灣加入多邊軍事演習，並以實際行動支持台灣發展不對稱的作戰能力與軍事人員交流。

多元貿易是確保台灣經濟自主的重要因素，我也向議員們表示，未來與美國加深雙邊貿易關係、參與TPP，將是台灣重要的工作之一，我們未來將會持續推動經濟與產業改革，確保台灣不會在下一階段亞太地區的區域整合缺席。

拜訪國會的行程，原本應該要開放媒體採訪，特別是麥肯這幾位重量級的議員。但是我們選擇了將行程保密，原因無他，因爲之後的行政部門拜會，依照美方的要求無法公開，因此爲了避免記者跟車暴露了行蹤，只好捨棄國會行程的曝光。

這導致六月二日這一天，我們完全沒有辦法滿足隨行記者的採訪需求，公開行程是一片空白。但敬業的隨行記者朋友，絕對不會因此就自動放假一天。各家媒體爲了要查出我們的行程，一早就在飯店大廳守候。

爲了讓行程順利進行，我們被迫使出「聲東擊西」的策略。

當天早上九點，副秘書長劉建忻刻意「穿戴整齊」，背著包包走過飯店大廳，站在大門口不停講著電話，假裝在等待我們下樓，以引開媒體的注意。但同一個時間，我和吳釗燮、蕭美琴、李應元、黃志芳及國際部的幕僚們，先搭乘員工用的電梯到達一樓，趁著記者朋友們的目光都看向大門的方向時，我們從另一個通道悄悄

地走到隔壁大樓，自地下室驅車離開。

過程比預期順利很多。當車子開上馬路時，我想起這些相處了好幾天的記者朋友們，心裡還有著一些歉疚感。不過沒多久後，我就明白，事情沒有我想得那麼簡單。

結束國會參訪之後，我們便轉向美國貿易代表署，進行這趟訪美之旅的第一場行政部門拜會。沒想到，TVBS駐美特派記者事先得知了這場不公開會議的時間、地點，我們一到達，已有兩組記者在外等候，我們被拍到了進入貿易代表署的畫面。

國際外交事務，最忌諱消費對方的信任，把「成功安排會面」操作成媒體焦點，因此，吳釗燮趕緊將被記者拍到的這個情況，告知美國國務院及美國在台協會，以免造成對方的誤解，甚至是不信任。

這是我們在進行外交工作的兩難。外交工作進行得順利，當然希望能透過媒體跟國人分享，但由於選舉的敏感性，如果過度操作外交議題，稍一不慎，反而會傷害到辛苦累積的成果，以及國際友人對我們的信任。

這也是我希望記者朋友能夠體諒的地方。媒體有工作的需求，但我們也有外交上的難處。我當時也在想，如果TVBS駐美記者能掌握我們與貿易代表署官員的會面訊息，就可能掌握其他行程的消息。我不想爲難記者，但更不能讓外交工作功虧

一簣，怎麼辦呢？只能要求幕僚盡可能保密，也保持和美方的溝通管道暢通，就盡力來做吧！

除了負責商務經貿的貿易代表署，當天下午，我們也拜訪了美國負責國防及外交領域的官員，會面融洽順利。在這之後，我還特地到民進黨駐美代表處的辦公室去，原因並不是爲了視察辦公室的運作，而是爲了配合隨行的記者，讓他們在「饑渴」了一整天後，能拍攝到我站在白宮後方拉法葉公園的畫面，好向遠在台北的長官交差。

隔天六月三日上午，我們拜訪美方的行程再次被媒體拍到，有了昨天的經驗，我已經見怪不怪、決定順其自然了。面對記者朋友的能耐和敬業精神，除了投降，還能怎麼辦呢？

⊙華府智庫CSIS演講：亞洲新價值

六月三日的重頭戲，是我在華府主要智庫「戰略暨國際研究中心」（CSIS）的演講。

這場演講，是此行最重要的一場演講。我以「亞洲新價值」做爲演說主軸，講題定爲〈台灣迎向新挑戰——打造亞洲新價值的典範〉（Taiwan Meeting the Challenges,

Crafting a Model of New Asian Value）。我在演講中，要談論我對台灣和區域發展的願景。

早在訪美行程出發之前兩週，我和幕僚們就爲了這份講稿，開了五次會議，不下十多次的修改。我要求演講中的每一個政策議題都必須具體可行，論述的部分則必須精準傳達訊息。內容的每一字、每一句，都經過了仔細的討論，爲了讓內容更加流暢，講稿以英文直接撰寫。

雖然講稿已經在台灣修改了十多次，但我的性格是，如果還有時間做到一百分，我絕不會滿足於九十分，更何況這場演講只許成功不許失敗。所以六月二日華府第一天行程結束的當晚，我匆匆吃完晚餐，便邀蕭美琴和劉建忻到我房裡，一同把演講稿從頭到尾再檢查一次。

當我和美琴用英文討論著稿子內容時，我注意到建忻的眼睛幾乎是睜不開的。從洛杉磯、芝加哥到華盛頓，訪美幾天以來每天僅三、四個小時的睡眠，加上工作壓力和時差，已經讓同仁非常疲憊。

我請他先回房間休息，好維持體力。大約兩個小時之後，我和美琴把英文講稿談定時，輪到我們兩個變得昏昏欲睡。這時美琴再去把建忻叫醒，由他來接手，依照最新的英文講稿，重新修定要提供給台灣媒體的中文版講稿。

隔天午後，我們完成了講稿的最後校正，來到華府智庫CSIS氣派明亮的新大樓，超過五百人的聽眾，把會場擠得滿滿的。在研究兩岸議題的資深學者葛萊儀

（Bonnie Glaser）的介紹之下，我走上了講台。

在我身後不遠處，是會後問答的主持人，前任亞太助理國務卿坎貝爾（Kurt Campbell）。台下，坐了許多老友和長期關心台灣的朋友，包括美國在台協會理事主席薄瑞光（Raymond Burghardt），以及台灣駐美代表沈呂巡。跟著我們一路從台灣來的媒體朋友，架了一整排攝影機在會場正後方，鏡頭都對準了我，我知道，這或許將是一個歷史時刻。

講稿內容經過幾個月來的千錘百鍊，幾乎已經銘記在我心中。這是我們對於台灣未來的宣示，也是我們傳達給美國最堅定的和平訊息。

我們以「亞洲新價值」爲論述主軸，貫穿「參與式民主」「公平分配與社會正義」「以創新爲基礎的經濟」，以及「積極和平的外交作爲」等四大主題。一方面闡述我們治理台灣的願景，另一方面則針對區域關係與兩岸未來發展，說明我們的想法。我希望在演講中反映出我們的核心關懷，期盼台灣能在亞洲扮演帶頭的作用，樹立新價值觀的典範。

在治理願景方面，我提出台灣經濟結構轉型，須告別過去以效率和價格驅動的舊經濟模式，進而打造強調創新的「新經濟模式」，透過參與TPP，建立台美間經濟上的戰略夥伴關係，並減少台灣對於中國單一市場的依賴，進而讓貿易多元化與再平衡；我們也將建立社區型的長期照護體系，建全社會安全網，來因應台灣面對

的高齡化社會與全球化的挑戰。

在區域與兩岸關係方面，我表示，希望透過參與國際組織，貢獻台灣身爲國際社群夥伴之一的力量，讓台灣成爲國際社會可以信賴的夥伴，讓台灣善盡國際義務，獲得眞正的國際友誼。

我強調，民主，正是「亞洲新價值」的靈魂。當許多亞洲國家的人民還在忍受威權統治，台灣人格外珍惜我們努力爭取而來的民主與自由，而一個保障每個公民都擁有社會與政治權利的社會，也將爲經濟創新與分配正義的實現，提供良好的基礎。在打造亞洲新價值模式的過程中，台灣可以做爲一個典範和鼓舞力量。我們將以此亞洲新價值，點亮台灣，點亮亞洲。

〈點亮台灣，點亮亞洲〉
華府智庫CSIS演說節錄

⊙——總統的兩岸政策必須超越政黨主張

除了前面的內容，我還必須在這篇演說中釋出更多的訊息，讓所有關心兩岸議題的海內外朋友們了解，在我的執政下，台灣會如何維繫與對岸的交往。

在講稿中，我承諾會建立具一致性、可預測且可持續的兩岸關係。除了重申過去幾個月在台灣曾經宣示的兩岸政策，我也拋出了新的訊息：

首先，推動兩岸政策必須超越政黨的主張，並包容不同的意見。領導人在決策時，必須考量社會的共識，而台灣內部已有了廣泛的共識，就是維持現狀。

其次，在當選總統之後，我將在中華民國現行憲政體制下，依循普遍民意，持續推動兩岸關係的和平穩定發展。

第三，兩岸之間應該珍惜並維護二十多年來協商和交流互動所累積的成果，我也將在這個堅實基礎上，持續推動兩岸關係的和平穩定發展。

最後我強調，我將會強化民主機制，確保人民的未來選擇權。在推動兩岸建設性的交流與對話的同時，我會堅持過程充分的民主與透明化，而且利益由社會公平分享。

接下來的問答時間，我和坎貝爾一同坐在台上，先回答了一些他提出的兩岸關

係問題，然後接受現場提問，我特別說明，如果將來有機會執政，我會和在野黨持續交換意見，分享彼此的看法，我一直認爲，合作與溝通的精神，始終是台灣政壇欠缺的，不論是哪個政黨執政、哪個政黨在野，我們終究是一家人，既然是一家人，就應該開誠布公的相互溝通。

會後，坎貝爾繼續和我交換意見，我們像老朋友般相談甚歡。結束了這場演講，我的心情放鬆了不少。

演講後，傍晚由「台灣人公共事務協會」（FAPA）在美國國會舉行歡迎酒會，是羅伊斯議員主持，現場出席的議員，包括前後任外交委員會主席雷婷恩議員（Ileana Ros-Lehtinen）和羅伊斯議員，還有民主黨資深議員恩格爾（Eliot Engel）、共和黨議員夏波（Steve Chabot）等十七位眾議員出席，每位都是長年支持台灣的老友。

外交委員會前任主席雷婷恩議員致贈一個迷你版的「自由女神像」給我。這尊銅像的本尊，從一八六三年起便佇立於美國國會大廈的屋頂上，是一個頭戴軍盔的女性戰士，手中拿著盾牌與劍，身上披著美國印地安人風格的披風。

雷婷恩議員把這個禮物交到我手上，具體而微的連結了台美之間最珍貴的價值：自由與民主。在感謝她的致詞中，我說：「民主及對民主運作的信心，是連結台灣跟美國的共同價值。這不僅是雙方友誼最重要的基礎，也反映了雙方在國防與經濟關係上的密切關係，以及在全球事務的共同貢獻。」

「一個簡單的事實，就是我走進去了！」

最重要的演講終於順利完成了。但我們沒有休息的時間，馬不停蹄地，隔天六月四日就有個重要的任務等著我們，依原定計畫，我們要進入美國國務院。

在拜訪國務院之前，我們上午先和華府智庫學者們早餐會，中午又與美台商業協會（U.S.-Taiwan Business Council）的朋友們會面，向會長韓儒伯（Rupert Hammond-Chambers）說明我們推動台灣經濟發展新模式的構想。接著，我們拜會美國前副國務卿阿米塔吉（Richard Armitage）及前亞太事務助理國務卿薛瑞福（Randy Schriver），他們兩位在小布希總統時期於美國國務院服務，也一直是和民進黨保有密切連繫的老友。

阿米塔吉對台灣事務長期關心，過去在李登輝總統執政時期，我擔任貿易協商代表時，就常常在華盛頓與阿米塔吉商談政策議題，算一算，我們相識也有近二十年了。這二十年來，我們分別為自己的國家，在不同的位置上打拚，再次以總統候選人的身分和老朋友見面，聽到他的鼓勵，也聽聽他對亞洲情勢與未來台美關係的分析，心中有許多感觸。

「台美關係」這四個字說得容易，但有許多人付出了無窮的心血和青春歲月

啊！

在告別阿米塔吉之後，我們驅車前往國務院大樓。然而，在離開阿米塔吉辦公室後不久，就發現有計程車一路緊追在我們車子後面，原來是記者的包車追蹤到我們的行程了。在高速公路上，就這樣展開了一場「飛車逃脫之旅」。

我們不斷變換車道，甚至繞路而行，車上幾人都緊抓著扶手，屏住呼吸，最後終於成功「脫身」，結束這場驚險萬分的追逐之旅。

但是，當我們一抵達美國國務院的大門，才發現其他的電子媒體早就在這裡守候。原來，我們會「聲東擊西」，他們也會「分進合擊」，不僅有人負責跟車，也有人在不同政府單位外面「站崗」。看到他們爲了拍到畫面，兢兢業業，實在是感到佩服。

跟車眞的很危險，我很希望他們不要冒自己人身安全的風險來跑新聞。但我也能體會他們這麼做的原因，畢竟台灣總統候選人進到美國國務院大樓，是前所未有的創舉。

在國務院進行約一小時的會議後，我們出來時，看到記者們已相互通報，原先分別部署在不同地方的，現在全體都聚集在門口等候。

記者們先問我會談的成果，我說一切都順利進行。事實上，民進黨這幾年來，持續與和美方針對國防、國際參與、兩岸和平、經貿等彼此合作密切的議題交換意

見，因此對方早已經充分了解我們的想法。

記者再問，這次跟四年前訪美的規格，是否有提高呢？這個答案其實很清楚，但是我覺得由自己來肯定這一點，實在有點怪，一時之間竟想不太出該怎麼回答。

接著，突然靈光乍現，我說出了這句話：「一個簡單的事實，就是我走進去了！」

台灣人民才是我唯一的主考官

六月四日，在華府的最後一個晚上，我們和當地台僑舉行餐會。華府與美方的行程不斷曝光，雖然幾度讓我們有些緊張，僑胞們卻對這些突破感到相當振奮，那種心情完全寫在他們的臉上。

不過這趟華府訪問，卻也讓中國駐美外交官繃緊了神經。

中國駐美大使崔天凱在我到訪華盛頓前兩天，就對媒體表示：「有人說她是來面試的，但我也有同樣的問題。她爲什麼有話不能對對岸的同胞說，要找外國人來面試呢？她首先要能過得了十三億中國人的考試。」

藉著台僑晚會的場合，我對著六百多位鄉親和媒體，一字一句地說：

如果民主是一場考試，那台灣人民是我唯一的主考官，我只需要對兩千三百萬台灣人民交代我的答案。

在政治上，什麼才是眞正的考試？民主制度就是最好的考試。有沒有回應人民需求？有沒有能力帶領國家迎向時代的挑戰？這是由人民來判斷，而且這是最好的考試！

這就是我的信念。而傳達這樣的信念，正是我們到美國最主要的目的！

21 站在世界看台灣

向大師請益

到美國，我曾說，自己也是來學習的，希望能把一些新想法、新觀念帶回台灣。

在所有行程中，令我最振奮的，是與諾貝爾經濟學獎得主赫克曼（James Heckman）的會面。赫克曼教授是經濟學家出身，近年來，他的研究興趣專注在教育與經濟的關係上，透過統計數據的比較，他發現兒童在三歲至八歲間受到的照顧，將影響其未來的發展。

因此，他建議可以用政府的力量，來補足孩子在成長過程中因家庭貧富差距而

造成的教育落差。

由於我也受過經濟學訓練，對於赫克曼教授的研究方法、研究發現，以及後續的政策建議，都充滿了興趣，也從會面過程的討論中，得到許多政策思考上的啓發。原本規畫僅半小時的會面，持續了近一小時，甚至耽誤到後續行程，幕僚們緊張地來來回回走動，頻頻提醒我時間已到，但那一刻，我完全是欲罷不能。

學習矽谷人改變世界的野心

這次產業參訪的重心，在舊金山的矽谷區。這裡是能促成世界改變的地方，甚至有許多能夠一起參與改變台灣的力量，我希望能從中思考、學習，接觸到改變台灣的力量。

第一站，是全球最大的網路設備公司思科（Cisco）。

思科台灣分公司的主管過去幾個月曾多次前往民進黨中央黨部和新境界智庫拜訪，解釋「智慧城市」的構想。參訪當天，基隆市林右昌市長、前國科會副主委紀國鐘、台大副校長陳良基等人特地從台灣前來，右昌市長和思科公司討論基隆市發展智慧產業的前景與可能性，希望能促成與思科合作的機會；思科總部也安排與台灣進行兩地視訊連線會議，邀請政策辦公室張景森執行長等七位人士共同參加。

在思科全球資深副總裁成拉斯卡蘭（Ravi Chandrasekaran）的陪同下，思科全球智慧城市及產品資深總監克拉普（Munish Khetrapal）告訴我們，透過網際網路的串連，一個城市裡的交通、安全、環境、衛生等不同領域的網絡，可以相互串接起來，資訊共享，建立起智慧城市，提供市民更完整的資訊，也能增加城市的便利性。

而智慧電表及智慧電網的發展，能減少能源的使用、發展在地再生能源，更能減少對消費者的負擔。例如智慧交通網絡的建立，就能減少交通堵塞的時間，增進用路人的便利和效率。

我們可以讓台灣成爲一個「數位國家、智慧島嶼」，這是我們找回經濟發展動能，最重要的國家發展戰略之一，激發人民創新與創業，不但能增加政府治理效能、提升人民的生活品質，也能用來創新產業、翻轉經濟。

思科以研發工作的高額投入聞名。我看到有些研發團隊，花了好幾年研發一項技術，卻發現某個方向走不通，必須重新來過；他們不斷嘗試，不怕失敗。這是矽谷人獨特的氣質。這樣的人，就是改變世界的人。

拜會臉書辦公室：站在台灣，呼喊全世界

在矽谷區參訪的第二站，我們前往近幾年最熱門的社群網站公司臉書

（Facebook），由全球政策參訪總監提爾尼（Brenda Tierney）陪同導覽，介紹辦公室環境，我也在「臉書牆」上簽下「DPP, Taiwan」（台灣，民主進步黨）的字句留念。

臉書是非常年輕的公司，員工平均年紀才二十七、八歲，這裡鼓勵年輕人多想、多創新，表現自我和創意，這種企業文化活潑多元，值得學習；全球副總裁史拉吉（Elliot Schrage）也向我們介紹，他們內部對台灣總統選戰的分析，以及政治人物「該如何推廣自己」的建議。

這些建議都很中肯，平時幫我經營管理臉書的幕僚，也一直都是以「原汁原味」的方式呈現，有些非公開行程的獨家私人照片，或是我的個人想法和聲明，我也會轉給臉書幕僚，使得記者們在我的公開行程之外，還得時時緊盯我的粉絲專頁，深怕漏新聞。

對於沒有資源的政黨而言，臉書是我們十分重要的社群媒體，這大概是臉書成立時，始料未及的。

在總部參觀時，有個從地面延展到天花板的大型液晶螢幕，上面以地圖的方式，即時顯示全世界各地正在臉書上進行的活動。其中一個最明亮的群聚點，就在台灣。這張圖具體顯現，台灣是臉書使用人口密度最高的國家之一。

一個個光點，標示出台灣與世界的連結，一路向外延伸到世界各國，有日本、東南亞、美國，也有歐洲、大洋洲和南美……這些連結提醒我們，台灣本身就是個

全球性的社會，一直都擁有豐富的全球連結與文化體驗。

尤其，我們是個移民社會，僑胞們也是台灣連結世界的光點，即使他們移居在海外，依然放心不下心愛的家園。

拜訪台僑，一個都不能少

我記得在二〇一二年選後，我曾花了八天，到洛杉磯、舊金山、休士頓與紐約四個城市，向僑胞們表達我內心最深的感謝。

因爲是選後行程，我僅帶五位貼身幕僚處理相關事務，相較於選前十多位工作同仁再加媒體團的大陣仗，陣容上很低調，行程上也略爲精簡，沒想到消息曝光後，其他城市的鄉親們，紛紛透過不同的管道捎來訊息，大嘆「不公平」。大多數台灣政治人物參訪美國時，多只前往東岸和西岸，芝加哥附近，包括加拿大和美國中西部鄉親們，總是受到「冷落」。

我心裡很過意不去，大家對我們的支持是沒有差別的，但我們總是因爲種種因素，無法親自到每個地方，向每位鄉親表示感謝。

也因此，二〇一五年赴美工作籌備之初，我就再三跟團隊成員強調，一定要把二〇一二年沒去的芝加哥排進去。幾個台僑所在的大城，盡可能希望「一個都不

少」。

隨著行程逐漸確定，若一定要排入芝加哥和南邊的休士頓，將使得這趟「鐵人行程」再更緊湊。當中甚至有一天，將從東岸的紐約，到南邊的休士頓進行一場演講後，再飛到西岸舊金山，一天橫跨美國東西岸時區，將導致那一天長達二十七小時。

幕僚們提醒我，那一天的工作時間將有可能長達二十個小時，畢竟一旦決定要去，將不只我一人辛苦，幕僚團和媒體團也會跟著奔波。但我想起鄉親們熱切盼望的眼神，「去吧！我們累一天而已，他們可是期待了好幾年！」

在我的堅持之下，芝加哥和休士頓順利排入。這是我對僑胞們的承諾，不論再怎麼累，我一定要做到。

一〇二歲的民主熱情

訪美的第一站是洛杉磯，一出關，就看到黃蔡瑞雲老阿嬤在家人的陪同下，到機場接我，一〇二歲的她，遞上親筆寫的信件，送上一束鮮花，不斷地為我加油：「一定要選上總統！」她的熱情，讓我更眞實感受到台僑們深切的期盼。

阿嬤年紀雖然大，但對故鄉台灣的愛，從來沒有一天忘卻。

二〇〇八年，當民進黨沒有人理睬，當背負政黨債務責任的黨主席變成「瘟神」，人人避之危恐不及的時候，台僑鄉親們對我們不離不棄。民進黨沒有黨產，選舉時我們還得向鄉親們募款；選舉到了，大家都得自掏腰包買機票回來投票。他們雖然沒有生活在台灣，但心裡一直掛記著家鄉，出錢出力永遠不落人後，付出更是不求回報。

在我心裡，永遠珍藏著海外鄉親們最溫暖的支持。

民進黨美西黨部主委楊琬柔（Wendy Yang）原來規畫要回台灣辦婚事，爲了籌辦洛杉磯的台僑晚會，毅然決然將婚禮延後舉行。世界客家同鄉會會長林敬賢，特地開了一台掛著「Hakka 1」（客家一號）車牌的休旅車，到芝加哥機場接我，讓我感受客家鄉親最質樸的溫暖；當時，我也在芝加哥台僑晚會的演講中，對著遠自加拿大和中西部各州前來的鄉親，以我苦練多時的客家話，表達我的謝意和敬意。

還記得我們抵達華盛頓的時候，因爲氣候的關係，降落後，機場颳起了狂風暴雨，飛機連接不上空橋，我們在機上枯等了兩小時，鄉親們也在傍晚時分餓著肚子，在機場同步等候。

當時在機上，座艙長還用廣播歡迎我們一行人，他語調中充滿了熱情，卻在介紹時，誤說成「來自泰國的總統候選人」，事後雖被幕僚更正，但也顯示我們要努力的還有很多。初抵華盛頓遇到的風雨和人爲失誤，更被媒體朋友形容是「台灣的

國際處境」。

如果說，台灣所面對的，已是風風雨雨、且需要更多努力的國際環境，僑胞們的堅持與愛，就是支持我們前進的動力。

就像我們雖然只在休士頓停留一場演講的時間，仍有許多僑胞熱情相挺。就讀德州農工大學的留學生們，甚至開了一個半小時的車，只爲了讓我在下機的第一時間，就看到他們自製的Q版小英手舉牌。

舊金山的鄉親們擔心我的安全，特地雇了好幾位身材超壯碩的保鏢，非常努力地保護我，但也阻隔了我跟鄉親、跟記者之間的互動。我無法拒絕鄉親們的好意，只能請幕僚多和保鏢們溝通，請他們體諒，記者無害、鄉親的熱情不能阻絕。

人在國外，每一位台灣鄉親都是家人，互相體諒、鼓勵陪伴；家人最可貴的地方，是我們軟弱無助的時候，願意繼續支持我們，我們在成長時，不忘督促我們，希望我們更進步。民進黨一定會更加努力，不會辜負人民所託。

海外年輕人，台灣與國際社會最具體的連結

太陽花學運之後，台灣年輕人對於公共事務的參與非常積極，海外留學生對於我要訪美，也熱切表達，希望能針對年輕人關心的議題，跟我面對面深入對談。而

學運的效應，也由國內傳到國外，在國外唸書的年輕人，相較我四年前訪美時，更加關心台灣的發展，更積極地想要擔起責任，實現他們心中對國家未來的想像。

洛杉磯的青年座談，有一百多位留學生參加。在芝加哥，則由學生自組邀請超過了一百位來自美國中西地區各州的台裔生與留學生，比照美國「城鎮會議」（Town Hall Meeting），政府向人民解釋政策，並傾聽民意的方式，舉辦「青年公民論壇」，並由曾擔任太陽花學運海外串連召集人的鄭宇倫主持。

很多年輕人非常想念台灣，尤其是台灣現在位於歷史的轉捩點，也同時面臨經濟上的困境，需要更多新的思維與方法。

我鼓勵他們，如果回國後沒有帶回新的想法，僅是塡補就業市場的空缺，還不如留在海外，儲備更多能量，再將學習到的思考和技能帶回台灣，為自己的國家貢獻，為台灣的創業風潮注入更多活力。我們需要更多優秀的年輕人，回台灣後不只是關在象牙塔中鑽研學問，而是讓台灣的實務經驗與國際趨勢接軌。

在舊金山，針對當地的科技產業與創業風氣，我們選在史丹佛大學進行「科技論壇」。由當地台僑舉辦，邀請史丹佛多位重要的學者與研究院參加，也請創業有成的青年代表參加。

過去亞洲被稱為「世界的工廠」，台灣也在世界經濟鏈當中，以壓低製造成本、以製造業代工的方式成功獲利。我始終認為，面對經濟上的瓶頸與挑戰，我們

的經濟結構要朝向高附加價值的創新產業轉型。

這場座談會，給了我們許多關於政府如何投入協助青年創業的思考激盪，我們也與創業有成的人士，共同研究台美創新合作的可能。

我們的家鄉台灣，在歷史上與世界貿易的脈動緊緊扣連在一塊。未來，台灣國際化的腳步也不會停止。來自全球各地的國際友人，不僅會驅動我們的經濟發展，更讓台灣成爲多元豐富的社會，爲社會的創新與突破，注入源源不絕的活力。

點亮台灣・民主夥伴
美國之旅行程紀實

22

《時代雜誌》：她將可能領導華人世界唯一的民主國家

回來以後

歷經十二天、六個城市的旅程，在六月九日晚間結束，我們回到了台灣桃園機場。

雖然外界形容，這趟訪美之旅達成良好的「媒體效果」，然而我更在意的，是在這次訪美行程中，順利傳達給美方我們對民主的珍惜與堅持，也讓長期支持台灣的老朋友，都能了解我們推動改革的決心。

台美之間的對話與共識，是全民在外交領域長期努力的成果，無法被這十二天的行程給概括，台美間的交流，也不會在這場旅程後停止。台美間的互信基礎是全

民共享的果實，不屬於任何單一黨派，雙方彼此共享民主與自由的價值，也基於同樣的理念，進行良好的溝通。

這趟旅程能順利，絕非僥倖，不論是與美國在台協會處長定期聚餐建立的情誼，政策幕僚的密集討論，以及訪美前半年的積極準備，每一個環節，都缺一不可，其中最重要的環節，當屬自蘇貞昌主席任內回復設立的民進黨駐美代表處。受限於經費，由駐美代表處主任彭光理（Michael Fonte）帶領的團隊，含他僅三人，擠在三坪不到的辦公室裡，空間不大，能量卻很大。現年七十四歲的彭光理雖是美國人，但台語說得比我還輪轉，他在一九六七年，以天主教傳教士身分在台灣傳教，學會了台語，回美後認識流亡到海外的彭明敏教授，從此與推動台灣民主化結下了深厚的緣分。

齊心協力，台美零時差

讓這趟旅程順利圓滿的環節，除了前線赴美同仁的齊心協力，還包括留守在國內，讓我們無後顧之憂的後勤團隊。

當我們在美國休息時，在台灣的後勤團隊努力工作，當我們的後盾；而當我們在美國工作時，後勤團隊也和我們保持緊密的連繫，確保兩地不會因爲時差而產生

落差。

當時，台北後勤團隊固定在每天傍晚五點開會，分析最新輿情，讓我們在美國一早起床，就能得知媒體露出狀況和輿論的反應，不會因睡眠而漏接；負責每晚台僑晚會講稿的文稿小組，也必須緊跟時事，隨時在講稿中反應，幕僚們甚至兩地跨海線上即時修稿改稿，讓在台灣寫的講稿有美國在地感，也讓在美國寫的講稿能引起台灣鄉親的共鳴。

文宣團隊也很辛苦，在美國的同仁，負責重要演講場合的即時轉播和錄影、拍照。當演講結束，我們已在飯店休息時，他們要將演講的影像內容傳回台灣，轉檔剪輯再上網；若是英文演講場，台北同仁則要負責對翻譯、上字幕，趕在隔天就能上網。善用數位時代的優勢，讓關心我們的朋友都能隨時掌握我們的動態。

負責管理臉書的同仁，也需要和美國第一線的同仁保持隨時同步的狀態。參訪芝加哥時，我和記者在千禧公園內，英國雕塑家卡普爾著名的「雲門」（Cloud Gate）雕像前玩自拍，第一線同仁興奮的一直把相片傳回台灣，但當時是台北時間一早五點多，台北的同仁聽到手機群組訊息被驚醒，還好能接上，也即時處理公布在臉書。

十二天下來，不僅第一線同仁因時差、工作繁重而累壞，後勤團隊則因爲過著兩個時區的生活，也累癱了。但令我最感動的，是六月九日深夜回台後，六月十日

一早，不論是前線或後勤同仁，都一樣精神抖擻出現在辦公室裡，沒有時差的繼續工作。

我心疼他們的體力能否負荷，但也欣慰地看著他們。台灣有著許許多多對工作熱情又充滿幹勁的年輕人，一定會讓這裡成為一個更好的國家。

《時代雜誌》的採訪

我們六月九日回台，三天後，六月十二日，《時代雜誌》亞洲版就刊出了以我為封面的專題報導，封面標題是「她將可能領導華人世界唯一的民主國家」（She could lead the only Chinese democracy）。

《時代雜誌》的文字記者羅荷拉（Emily Rauhala）和攝影記者費格遜兩人，在五月中就對我進行了貼身採訪，亞洲區總編輯譚崇漢（Zoher Abdoolcarim）也親自來台對我進行專訪。

羅荷拉和費格遜兩人，跟著我們去高雄參觀亞洲新灣區的建設，旁聽我們在高雄舉辦的「區域翻轉・南方領航」南部發展戰略會議，了解台灣南北的失衡，也看到我們平衡南北、重新定位南台灣國際分工角色的願景和企圖；他們甚至一起到了澎湖，去認識台灣偏鄉離島面臨的產業困境與在地的產業發展。

我也利用邀請他們來家中共進早餐的機會，邊爲他們烹調菜餚，邊介紹台灣在地食材；在高雄的行程間，帶他們去一家我常去的日式料理，讓他們親身品嚐南台灣的滋味。

我希望他們看到的，不只是我，而是整個台灣；他們要報導的、要理解的，不應只是我，而是整個台灣。

爲了達成這個期望，光是幕後作業，就持續了好幾個月，從接觸、討論到時間行程的確定，我們國際部、新聞部及各相關部門的同仁們，來來回回和《時代雜誌》協調；我也在專訪中，強調台灣這幾年來的民主發展，尤其是太陽花學運以後，台灣社會對自己家鄉的未來期待。我希望讓國際社會了解台灣人民珍惜、守護的民主價值，以及民進黨維持台海兩岸和平穩定的決心。

我們一直以爲，專訪可能七月初才會出刊。沒想到出刊時間提早，搭在我們甫從美國訪問回來的時機點，讓這本雜誌一出刊就成爲媒體焦點

更沒預料到的是，報導內文確實有著墨在台灣的民主發展上，卻因爲一張太過「搶眼」的封面照，導致後來國內媒體和網友，都聚焦在那張相片上。

亞當．費格遜是知名的戰地攝影記者，他特地把我們辦公室一間會議室，布置成攝影棚，拍攝時，也用較爲冷硬的白光。最後選取爲封面照的，就是大家後來看到的，我眉頭深鎖、皺紋滿布的樣子。

這樣子的風格，並不常在台灣的新聞攝影或新聞雜誌中出現，因此，引起了社會上一番討論。網友甚至發揮創意，將相片中的我，和電影《星際大戰》裡的智者「尤達」做對比。

有人問我，會不會介意被拿來跟尤達相比？說真的，一點也不會。

我希望台灣人能更認識自己、更認識自己的家園，能從自己的土地中，用自己的方式，找到生存的智慧和力量，這才是我們立足國際的基礎。台灣很小，但力量很強大！

願原力與我們同在。

在地 Chapter 7 希望

老 紀念過去的
賓 則是暫時的居所

茶

Taiwan

23

台南自造者

夢想不在他方，希望就在故鄉

參選對我來說不是新鮮事。二〇一〇年的新北市長，以及二〇一二年的總統大選，對我都是一個難得的經驗與體會。我沒有贏，不過，我用我的方式為台灣留下了一些東西。

二〇一六年的總統大選，對我來說，是一場只能贏不能輸的選戰。我知道，這一次我身上背負著更多的期待與使命。

要怎麼打一場只能贏不能輸的選戰？負責文宣的幕僚顯得格外緊張。在一次會議的過程中，我跟年輕的黨工們討論競選文宣的主題。我們隨性地腦力激盪，聊著聊著，他們看著我，等著我裁示方向。我跟他們說，過去幾年，我在台灣各地認識

了很多朋友，他們身上都有一股強韌的生命力，我想把他們的故事講出來，最好能用影像拍攝出來。

他們看著我，似乎是聽不懂我在講什麼。我接著說：「去找出讓我們社會更團結的人和故事就對了。」

我知道我越講越模糊，不過，奇妙的是他們好像有聽懂。不久之後，我桌上擺著一份文宣部門送給我的計畫書，計畫的名稱叫做「在地希望」。我打開第一頁，看到上面寫著兩句話：「夢想不在他方，希望就在故鄉」。

我開心地笑了出來。這就是我感受的。現在我要講的就是我跟他們一起尋找的故事。這些故事就在你我身邊，他們點亮了自己，點亮了社區，點亮了社會，甚至，點亮了人性的光輝。

人人皆可參與的設計年代

我並不是一個科技迷，但對於新的科技趨勢，我會留意它和台灣產業發展的關係。在台北有好幾次聽專業人員向我簡報，這個世界上發展出一種3D列印機的技術，這項技術帶來了一項小革命與小浪潮。這個浪潮，人們把它稱爲自造者（maker）浪潮，這項技術最大的貢獻是大幅降低了設計製造的技術門檻，也巨幅降

低了實現創意的初始成本。

我知道台北好幾個自造者空間，都提供了3D列印機使用，我問幕僚爲什麼挑在台南？他們告訴我，這間是台北以外最大的自造客空間，自造技術及新創團隊資源大多集中在台北，台南是另一個興起中的青創聚落，很值得我們觀察。於是，我帶著一份好奇與期待踏上了去台南的路途。

沿途翻閱著幕僚準備的資料，我知道，我即將去看的這一群年輕人，是走在時代的最前端。早期電腦是專業技術人員才使用到的機器，隨著技術的改良，現在已經是老人和小孩都能操作，幾乎家家戶戶都有一台以上的家電。在這電腦設備普及的時代，像美術設計、音樂、影像剪輯都變得不是那麼困難，決定成果的好與壞，反而回歸到最原始的能力，也就是你的創意能夠激發多少人的共鳴。台南這群年輕人，就是憑著自己的創意，來引發社會共鳴的最佳典範。

我喜歡這種打破壟斷、讓人人都有可能參與的設計製造過程，跟過往比起來，這個生產過程更爲平等。我的直覺也告訴我，這樣的模式應該很適合這幾年在台灣捲起的一波青年微型創業。這些年我見過很多青年創業團隊，每次談話中都發現，這些不同項目的創業團隊，共同缺乏的就是把創意化爲商品所需的生產成本，特別是在他們剛起步的時候。

台南老公寓裡的 FabLab

台南市政府委外經營的「胖地」，就在台灣文學館正對面。過去，我去過文學館好幾次，印象中那附近都是老房子，老公寓裡竟然冒出一所 FabLab（自造者空間），提供有想法的人一個共同發明、製造的空間，實在有趣。果然，我們的車子在一間不起眼的四層樓老屋前面停下，幾個年輕人已經在門口等我。

老房子的一樓門口已經整面改裝成透明的落地窗，從外面就能清楚看到裡面充滿源源不絕的活力。負責導覽的辦公室主任是一位三十幾歲的年輕男性，口條非常清晰，大家七嘴八舌告訴我，他早上剛完成訂婚。我聽了實在很不好意思，他人生重要的日子還來辦公室工作。

從大門走進來，門口的位置擺放許多新創活動的酷卡和貼紙，一樓是他們平常舉辦講座活動的場所，主任很驕傲地說，他們一年舉辦超過上百場的活動，希望能將自造者運動的經驗和資源分享給更多人。穿過老房子特有的水泥樓梯，走上二樓，不大的空間擺放了十來張工作桌，這是共同工作空間，開放給新創團隊申請免費使用。很多青年團隊憑著創意提案創業，起步階段能省則省，租用辦公室是一筆不小的費用，共同工作空間的幾張桌椅、電話線、網路，以及三樓的一間會議室，

這些就足夠他們的行政連繫作業。

傳說中的3D列印機及雷射切割機等機具則擺置在頂樓，一旁也有各式做木工的器具和許多工作剩餘的薄木片。我到的時候，幾台3D列印機正在列印白色小熊公仔，聽說他們上午才剛辦完一百多人參加的工作坊，有越來越多的人學著使用這樣的機具。年輕的主任提議：「我們要不要試試看列印一個3D小英主席？」原來，只需要使用電腦做三六〇度環繞掃描，把掃好的圖檔輸入主機，連線到3D列印機，那個正在做出白色小熊公仔的位置，就會跑出一個我的人像。我乖乖坐在旋轉椅上讓工作人員掃描，一邊聽著幾個成功新創團隊的介紹，像是以台南歷史創作實境遊戲的芒果遊戲團隊，他們需要特製許多道具，若是以往，這些道具必須送到開模工廠訂做，但是許多工廠不願意接下數量過少的訂單，所需要的費用動輒上萬元，因為訂單量不大，常常被排在後面順位，一等就要等上一、兩個月。

小巷子裡的工場：甘丹創新

開放空間的工作機具，讓他們可以自行製作道具，只需要付出少量的材料費，節省不少研發成本，最重要的是快速。團隊討論發想碰撞出的創意，當天馬上就可以進行製作試驗，「速度」對微型創業來說，是非常必要的競爭能力。另一個團隊

叫作「甘丹創新工場」，專門做工藝設計，這是四個剛從設計研究所畢業不到一年的年輕人，就獲得奇美博物館紀念品設計的合作案，產品得到許多獎項和媒體報導。他們在胖地空間創業起步，現在已經搬出去，擁有自己獨立的辦公室，甚至自己在台南有一間工廠。

「主席，我們的工場在一條小巷子裡。」

聽到四個年輕人自己開了一間木工廠，我覺得非常好奇，二十幾歲的碩士生在木工廠裡工作？

郭樂是「甘丹」的核心人物，是設計師，也負責對外的公關連繫。留著一頭俏麗的短髮，講起話來很活潑，卻仍有著一份沉穩。她告訴我：「主席，我們的工場裡，還有一隻長得像『想想』的貓。」「蔡想想」是我給我們家貓取的名字，這隻虎斑貓是我回家後的好夥伴。在家裡我常常一不小心就變成貓奴，在外面跑行程的時候則像貓痴，走到哪裡，只要對方有養貓，我都會忍不住和牠們攀玩一陣子。

車子彎進巷子裡，巷口豎立一個木製的指示牌，我們找到了「甘丹」。整條巷子裡林立三、四間傳統工廠，有做鐵件焊接的、塑膠盒沖壓的、做布簾的，乍看外觀，很難想像裡面正在生產文創產品。

郭樂說：「創新工場是場所的『場』，因爲這裡不只是生產的地方，也是我們的研發基地和辦公室。」工場內的隔間都是他們自己用木工搭建，擺了幾張很大的

工作桌，及一整區的工作機具，擁有木工技術的好處就是什麼都可以自己做，連工作椅都是他們自己設計的。他們說，剛搬來的時候，隔壁工廠的阿伯阿姨都不相信他們眞的會做東西，也聽不懂他們是做什麼的。現在不同了，他們和鄰居們「異業結盟」，包裝木造鑰匙圈的塑膠套盒，和一些鐵製零件等都是和隔壁工廠們訂製的。

剛走進創新工場，一隻比我們家「蔡想想」胖很多的虎斑貓就跑過來了，牠的名字叫 Yahoo。這隻貓很親人，被我抱在身上一點都不緊張，還陪我逛了一大圈。我正好奇這隻貓爲什麼取這個名字的時候，看到角落有一個很大的洋房造型的狗屋，上面刻著「Google & Yahoo」，當然，也是出自年輕木工師的雙手。原來這個工場養了一隻狗和一隻貓，牠們就共住一個屋簷下，在這裡，兩個競爭品牌成了感情親密的好朋友。

再往裡面走，是「甘丹」的小型展覽室，木造牆面和架子上，陳列了各式的設計產品。小至鑰匙圈，大至運用卡榫原理不使用任何釘子製作而成的木頭造型椅，每一個設計都充滿巧思，相當精緻。展覽室一角，拉開木門，是一個不到十坪的工作空間，郭樂向我介紹：「這裡是我們的辦公室，有一點凌亂，不好意思。」小型展覽室內有一個會議長木桌，牆上是整面塗滿畫記的白板，這是他們平時發想創意的地方。

我們在會議桌坐了下來，他們向我訴說創業路上，一路走來的點點滴滴，那是一個又一個有點令人心酸的經歷。曾經在下大雨的夜晚，他們拿著自己的產品去店家敲門，希望店家給他們一個位置擺放他們的東西。講到這裡的時候，他們的情緒有點激動。可是，馬上我又看見他們臉上的笑容是那麼樂觀自信。因爲，過去的種種不順遂他們都一一克服了。

我突然心情有些激動。那一幕讓我想到讓整個電腦世界往前走了好幾步的賈伯斯，當年他二十一歲休學和朋友在自己家裡車庫創立公司，誰也不會想到他將爲這個世界創造多大的轉變。在我們台灣，就有這樣勇敢又才華洋溢的年輕人，社會卻往往只願意投資已經得到注目的人。

年輕人之所以比較有創意，正是因爲他們給自己的限制較少，這也讓他們更爲勇敢，敢於做夢。當然，只有空做夢是不會完成什麼事情的，當他們敢做夢，更敢付諸行動，挑戰不可知的未來，他們通常都會做出一番成績。只可惜，這個社會不夠有勇氣去做出不保證一定會成功的投資。但是，哪有什麼挑戰，是在起步時就保證會成功的呢？當我們爲求安穩而躊躇不前時，或許應該回想看看，每一個令人振奮的成功故事，難道不都是從冒險和挑戰開始的嗎？

24

嘉義民生國中棒球隊

說到冒險與挑戰，我就不得不提嘉義的故事。「你知道怎麼種出又大又肥美的木瓜嗎？」只要看過這部棒球電影《KANO》的人，一定對這句話不陌生，自《KANO》上映後，我就常聽身邊的朋友說，一定要去棒球的原鄉——嘉義走走。說實話，我只有在大學時代打過壘球，棒球可從來沒碰過，只能從經典賽或世界盃的電視轉播畫面中，和周遭的球迷們一起感受棒球的熱血，也因爲這樣常被笑稱爲一日球迷。

用膠帶修補的棒球，不是最好，卻是心頭好

那是一個豔陽高照的午後，我來到嘉義的民生國中，其實在一路上我是有點忐

忑的，有點期待又擔心自己對棒球不夠熟悉，會跟教練談不上話。幸好，一下車就看到民生國中棒球隊李文傳總教練，常年被太陽曬得黝黑的臉龐，漾著大大的笑容。李教練身上有著一種專屬於台灣人的和氣，親切的語調讓人安心，他帶我和每個球員打過招呼後，我們繞著球員們練習的球場聊天。

民生國中沒有足夠的練球空間，只好借用旁邊的市立慢壘球場進行訓練。但是這個練球空間同時要供應五所學校練習，包括兩所國中、兩所高中還有嘉義大學，如果遇到假日有其他單位租用場地，這些孩子就沒有地方練球了。在去年，這個場地還曾經租借給韓國的棒球隊做移地訓練，就算民生國中棒球隊已經繳了一整年的場地費，市政府依然跟他們說沒辦法使用。

民生國中棒球隊的球具，有不少是韓國的球隊訓練完留下來的，他們就接收了繼續用。這些球具放在場邊的貨櫃箱裡面，鐵製的貨櫃箱一旦被太陽照射，裡面的溫度就會升高到難以忍受，也因此常使球具的壽命折損了不少。走到休息室，看到放在長椅上的一箱箱球，有些都已經是用膠帶纏繞過好幾次，拿起來的重量跟形狀都跟比賽正式用球差距頗大。但孩子們在練完球後，還是細細檢查著這些球，再一次次地用膠帶修補到可以使用。

這些孩子每天從下午兩點練到晚上八點，常常在球場邊的休息室吃完晚餐。這些小球員們笑著跟我說，他們都吃膩拉麵了。原來，李文傳教練在嘉義開了家拉麵

店，是爲了營生，也是爲了能提供給球員們較便宜的晚餐。晚上，孩子們常常吃李教練的拉麵，吃完之後，稍做休息便繼續練習。他們是這樣每天逐漸累積下來的技巧與熟練，才能在比賽中處理好每一顆球。

從兄弟象的萬能球員到無敵教練

李文傳教練過去曾經是兄弟象的「萬能球員」，能投能打。他跟我說，當初在職棒開辦後，他爲兄弟象拿下隊史首勝後，他就下了一個決定，未來有機會，一定要回到家鄉回饋。幾年過後，李教練從職棒退下後，不乏其他高薪的工作機會，但他一直秉持著初衷，毅然決然回到嘉義擔任了將近二十年的教練。

我問他爲什麼，他堅毅的臉龐望向球場，眼睛裡倒映著那些努力練球的孩子身影，聊起自己從小就是在嘉義一路被培養到職棒。「我看多了，很多小孩國中一畢業就被挖角到其他縣市的球隊，才十幾歲就離鄉背井，到一個不熟悉的環境，沒有家人、朋友的支持，一旦在球場上有什麼挫折，如果沒有心理上的支持系統，很容易就從此一蹶不振了。嘉義是我的故鄉，我回到這裡，就是希望能把基層的棒球培養起來，讓嘉義的孩子不用去其他地方，在自己的家鄉就能一路打球打上去，等到準備好了、成熟了，就能展翅高飛，一代傳一代下去。」

要訓練一個球員，尤其是訓練一個青少棒球員，不只是訓練技巧、動作，更重要的是球員整個人的狀態，因爲一個球員的生活不是只有打球，就如同我們每一個人一樣，生活的其他面向也會影響到上球場時的狀態。因此，他們也很注重棒球隊球員們的學業成績，李教練笑著說：「尤其是國文跟英文。」他認爲這是最基本的能力，他要求民生球隊的球員們都必須具備這些基礎。就算之後在球場上失意了、受傷了，都還有能在社會上生存的能力，去讀普通高中一樣能繼續升學，而不是從此走上歧途。路不是只有一條，要讓青少棒的訓練能夠永續且全面，才能讓基層的棒球走得長遠，也才能讓球員安心練球。

秉持著這樣的信念，李文傳教練找了自己一手訓練出的徒弟——待過嘉南勇士隊及興農牛隊的蔡士偉，一起來民生國中擔任教練，教練的人力要先充足，才有可能把球員帶好。

不只當一日球迷，更要當他們的安心後盾

這兩個人的組合，爲嘉義的棒球打下了重要的基礎。除了民生國中棒球隊之外，李教練和蔡教練在十年前，成立了嘉義高中棒球隊。他們這樣做的理由是，他們不忍看著自己從國中培養起來的球員不斷被外縣市挖走。嘉義如果有一個球隊，

可以成功銜接青少棒與成棒，那麼，這些小球員們便可以繼續留在家鄉。李教練告訴我，在成立的第一年，他們沒有場地可以練球。別無選擇的情況下，他們就帶著嘉義高中的球員們騎腳踏車去民雄練習，一趟一個多小時，騎過去練完球，再騎一個多小時回來，就這樣練了整整一年。

我們往往只看到球員們在球場上風光的那一面，背後的辛酸，總是不爲人知。有誰又會相信，台灣這樣一個宣稱以棒球爲國球的國家，基層棒球的硬體設施以及資源卻是如此貧乏。

給他們一個球場練球這麼難嗎？

給他們一些好的設備做不到嗎？

李教練的確是民間社會力的展現。不過，反過來說，他何嘗不是政府讓民間孤軍奮戰的例子呢？

那一個下午，在太陽底下，我第一次親身經歷小球員們練球時的辛苦。看著民生國中的教練們，頂著太陽在球場仔細地一個動作、一個動作教著球員們，我的心裡除了感動還是感動。我打從心裡感謝他們，因爲有像他們這樣的教練一直堅持不願放棄，台灣的基層棒球才能一直延續，台灣的棒球才能創造一次次的台灣之光。下回，我再看到台灣的棒球揚威國際時，我就會想起那個下午。沒有什麼是偶然的，一切都是苦練來的。在棒球場上，這一點永遠成立。

我又想到《KANO》中，教練對孩子說的：「要想著不能輸！」就是這幾個字，貫穿了台灣棒球員好幾個世代的精神。電影裡面爲了夢想而苦練的孩子，至今依然栩栩如生地在我面前。台灣的棒球一直走得艱辛，但每個球員都知道，隨時跌倒了，就要再立刻站起來，人生的態度也是如此；要得到又大又肥美的成果，就要不怕辛苦繼續練下去，不能輸給自己。這是台灣棒球的精神，也是台灣人一直以來的性格。

看著這些在紅土上奮力練著球的孩子們，在大太陽底下用力揮著球棒打出一顆顆球，在一旁練著一次又一次的折返跑，我第一次知道，運動員的汗水與淚水分不清楚原來就是這樣。他們爲了實現自己夢想的堅毅眼神令人動容。在電視機前吶喊加油的同時，我們都不能忘了，在台灣各地的不同角落，都有一群群的孩子爲了延續台灣「國球」壽命而苦練著。一個國家的政府，要成爲這些孩子的後盾，對我而言，讓這些孩子現在爲了夢想而努力的汗水不要白流，讓每個孩子都能安心追逐自己的夢想，並且以這樣的方式好好生活，是一個政府最大的責任。我們能做的不是只當個一日球迷，而是創造能支持這些球員一輩子的完善體制。

我沒辦法當棒球教練，不過我知道我的責任，就是要讓每一個像李教練這樣的人，覺得後面有一個政府在撐著他們。

25 彰化的「鞋靴派對」

「妳有多久沒有買過一雙鞋子了？」我常常聽到別人說，女人就像蜈蚣一樣，擁有很多鞋子。每雙鞋子，不只是用來走路，更是展露出每一個人的個性與想法。

在經濟起飛的年代，台灣的鞋子工廠幾乎每天加班，生產線上不停地運作，就是為了代工鞋子。製鞋王國，曾經是外國人認識台灣的名字。在一九八〇年代，數以萬計的鞋子坐著船離開台灣，換回一箱箱外匯存底。之後，出口量漸漸萎縮，鞋子工廠也一間間撤出台灣，轉往成本更低廉的國家了。

隱藏在林間的彰化製鞋基地

說到製鞋，大家第一個聯想到的一定是彰化。彰化是台灣著名的鞋子產地，而

在某個角落，有這樣的一個基地。一對白手起家的夫婦，一群優秀的老師傅，在敲敲打打聲中，創造了台灣奇蹟，也養活了非常多的家庭。那裡，也有一個女孩，她從小聽著叩叩叩的敲鞋聲，在鞋皮、鞋布與楦頭玩耍中長大。她看著一雙雙鞋子從家裡工廠生產，送往日本後，再賣回台灣。她其實不明白，爲什麼鞋子不能就在台灣生產，賣給台灣就好了呢？

那個基地就是連萬鞋業，鞋廠長大的女孩是連萬的第二代千金曹詩怡。爸爸曹錫安成立連萬鞋業，創造出口盛景；女兒則創立鞋靴派對，拯救代工萎靡的頹勢。這個故事就在彰化的一處鄉間，經歷了三十幾年，加了新的演員，持續熱映中。

那雖是一個冬日午後，天氣還有些炎熱，我坐在車上，車子沿著坡度往上開，沿途是一棵棵椰子樹，充滿著南洋風情。一間白色底的工廠，映入眼簾。那是我對連萬鞋業的第一個印象，老闆頗有雅致，庭園與工廠相得益彰。

老闆夫婦與員工熱情地招呼我，我當時直覺的反應是：「啊，員工好年輕。」我跟著她們走到展示室，一雙雙流行款的鞋子擺放在各個角落，幕僚們目光緊盯不放，我知道她們在想什麼，她們一定很希望行程快點結束，送我離開後大肆採買。

木頭質感的展示室裡，我喝著咖啡，吃著手工做的杏仁餅，一邊跟老闆聊天。我幾乎不會錯過任何一道食物，我認爲每一個招待的餐點，都映照了主人家的生活習慣、對客人的想像與熱情款待。西式咖啡與中式杏仁餅，我隱約感受到不同文化

的衝擊，連萬鞋業，一定有自己特別的故事。

傳統與現代的磨合

一九八〇年代前開創連萬鞋業，乘上當時製鞋業的榮景，工廠規模日益擴大。後來因為成本增加與訂單萎縮，他們也曾經跟著遷廠至其他國家。但對台灣的愛護之情，讓他們捨不得完全撤廠，便將台灣工廠轉成樣品鞋生產中心，如此一來，他們把最精華的製鞋技術留在台灣。曹老闆告訴我，他的朋友跟他說，因為鞋子製作很繁雜，時間又長，只要鞋子這個行業可以做下來、待得住，以後要做各行各業都沒有問題。就是這份堅持，所以當面臨訂單量逐年減少時，他們還是奮戰不懈。

不過，在時代的潮流中，個人相對顯得渺小。個人的努力，在結構性因素的迫使下，有如滄海一粟。萬事萬物總是這樣，窮則變，變則通。不過，要懂得在時代趨勢下做正確的變通，卻是需要勇氣與智慧。這個時候，就是鞋廠第二代上場的時機了。

他們的大女兒貞的很爭氣，留學日本的她，有一天將日本管理與嚴格把關的精神導入鞋子工廠中。然後，她也把網路行銷帶進了這個工廠。生意就在網路上，它是虛構的，不過，卻是無限大。

然而，詩怡帶來的新思維，根據老闆娘的說法，一開始，工廠裡的師傅跟他們都沒辦法接受。世代衝突，理念衝突，在這間工廠裡上演。習慣用傳統方法製作鞋子的工作團隊，對於詩怡的要求充滿懷疑。「這樣子行得通嗎？」「這樣子要幹嘛？」這是當時工廠裡最常聽到的兩個問句。父母親則擔心女兒沒辦法闖出一番事業，連帶影響工廠的運作與員工的生計。

不過，詩怡的堅持慢慢地打動了鞋廠裡傳統的長輩，他們也放手讓詩怡去闖。而且，他們還爲詩怡的變革強力背書。他們給詩怡更高的期待，也要女兒再去多看看各國市場。做生意要綜觀全局，而不是橫衝直撞。

在參觀詩怡與年輕團隊一手打造的展示室時，年輕的課長芳君十分詳細地解說每雙鞋子的材質與特色。拿在手上的每一雙鞋子，無論是鞋面或者是鞋底，都令我目不轉睛，我知道台灣的工廠就是不一樣，那麼好的工夫做出來的鞋子，品質眞的很精良。我眞的有點迫不及待想看是誰做出作工細緻，又具有設計感的鞋子。

離開擺放著美麗鞋子的展示室，走向數步之遙的工廠區，氛圍與擺設立刻就不一樣。與印象中的工廠十分相似，原料的各種皮革擺放在一側，中間是一籃籃不同型號的楦頭，旁邊是許多製鞋相關的器械，盈滿熱氣與器械聲的工廠。霎時，我從網拍女鞋的世界來到了連萬代工廠。

專業認同與驕傲是新一代的價值

走進了工作室，我以爲來到了懷舊電影放映室。那就像無聲播映的台灣百工紀錄片，一盞舊式長型檯燈，一位衣衫整齊的老師傅。拿著布尺與鉛筆，在皮料與楦頭上面來回擺動，測量、繪製的手如同指揮家。旁邊是一片片布片的堆疊，前方僅僅擺放著一張客人從網路上印製下來的鞋子圖片。文師傅還沒十五歲就去了台北，口袋空空，夢想滿溢。順著他眼尾的紋路，我跟著回到三十年前的萬華。一個小男孩跟了一位製鞋的師傅，成了學徒，不只學做鞋，也學著腳踏實地過生活。

有了製鞋的技術，隨著大時代的流轉。轉瞬間，已經超過三十年了，手上握著的依舊是鞋。歲月積累而成的經驗，造就師傅的手藝。單單看著一張客戶給的鞋子翻拍照，就能做出一模一樣的鞋子。立體的鞋子，在師傅腦中切割成一片片不同形狀的布料。那一疊疊布片，組合起來就是一雙堅固耐穿的台灣鞋，誰能想到呢？

跟著裁縫機的車縫聲，我走進了一間不到十坪的小房間。幾台裁縫機，數張L型桌組成的工作檯，就是手工縫製鞋子的工作間。我看著淑莉姊將一片細長的布反摺，細心地用小鎚子敲啊敲。敲平之後，接著鑽出幾個洞，原來那是涼鞋的鞋帶。

我一時玩心大起，讓淑莉姊教我兩招。淑莉姊幫我先將布摺好，接著指示讓我敲到

定型。我一邊害怕敲到自己的手指，一邊又不服輸地精準落槌。一條涼鞋的帶子，反覆進行四項工程，沒有任何馬虎才能製出。我當時十分緊張，無暇注意其他事物，深怕自己做壞了手上的東西。在數週後我觀賞剪接出的影片時，我才發現淑莉姊的眼睛始終沒有離開過我正在動作的手。她仔細觀察我每一個落槌，沒有因為我是客人就放鬆。

我知道那是工匠的堅持，堅持最好的品質，她比我還緊張。我想起了我在台東認識的木工師傅，退休後的師傅教原住民木工，讓他們可以經濟自立。我問他為什麼在工作時一定穿著那件藍色的袍子，師傅告訴我，因為他受德國訓練，德國人將自己工作視為專業，這樣的價值觀影響了他。不論是衣著整齊的木工師傅、還是細心打造鞋帶的淑莉姊，都有一種屬於認同專業的驕傲。新一代的價值應該是對於專業價值的認同，連萬的每一雙鞋都是精雕細琢而成的工藝品。我跟老闆夫婦說，好的鞋跟一般的鞋眞的有差，我有一雙鞋子穿了十六、七年了還在穿。課長芳君笑著說他們最怕遇到這種客人，會讓他們沒有生意。我想，這麼好的鞋子，一定是賣得很好的！

一點小小的力量，留著貢獻台灣

我告訴曹老闆，我很感謝他還願意把工廠搬回台灣。他樸實的臉上堆起了一道靦腆的笑容說：「一點小小的力量，留著貢獻台灣。」這樣的表情，我在台灣各個角落都能看見，那是一種象徵台灣人滿懷希望的美好畫面。

我從連萬鞋業，感受到了親情與對台灣的執著，看到了傳統與現代的磨合帶來的創新，更確定了自己想做好他們最堅固後盾的決心。當我踏上歸途時，車窗外已傳來幕僚們的雀躍尖叫聲，看著同仁拎著一雙雙試穿鞋走進展示室，我相信，彰化的這個製鞋基地一定可以成功。

26 花蓮的野菜

拜訪蘇秀蓮的邦查農場，是當天花蓮行程的第一站，她的農場位於花蓮兩大最古老的阿美族部落之一的馬太鞍，馬太鞍（Fata'an）在阿美族語是「樹豆」的意思，一種許多原住民族食用的傳統食物。一下車，看到因爲農忙而曬得黝黑的秀蓮，比我想像中的嬌小卻充滿生命力。秀蓮告訴我，邦查農場的「邦查」是「Pangcah」的中文直譯，這個發音是花蓮阿美族人對自己的稱呼，而大家較常用以稱呼阿美族人的「Amis」，則是較靠近台東阿美族人對自己的稱呼。不過，也有另一說，是卑南族人稱呼「北方的那群人」的意思。

秀蓮非常可愛幽默，在她的農場裡，小羊是整天跟進跟出的孩子、大公雞是不必關在雞籠可以自由行走的廣告明星、兩隻看起來還很年輕的小黃牛是不用耕作的寵物，當然還有少不了的狗狗貓貓，這裡簡直是個歡樂的動物天堂。

在我拜訪秀蓮的那天，有一隻小黑狗從頭到尾都跟著我們，我問秀蓮這是不是她農場家族的一分子，秀蓮說不是，以前從來沒有見過牠。回到台北後我還掛念著，心想如果沒有人養的話，很希望能收養，之後又拜託同仁幫忙問問小黑狗的去向，可惜秀蓮說之後就沒看見了，同仁開玩笑說，如果領養小黑狗的話，黨部應該要規畫一區動物園，讓「蔡想想」和其他動物可以一起玩。其實我覺得，也沒有什麼不好。

秀蓮的農場其實不是想像中的「一座」農場，除了農場辦公室旁的溫室和小片農地外，還有幾塊和別人租用的田，秀蓮說，現在想務農是多麼不容易，沒地的人租地做農、有地的人只想著賣地。然後她苦笑了一下。

秀蓮說她年輕的時候，隨著丈夫在北部四處打零工，那樣的飄泊和不穩定，讓她常常想著要回到自己原生的土地上扎根生活，終於有機會回到花蓮，她認為不單

單只是做農就好，應該要用友善土地的方式，於是開始學習有機農法，在二〇〇七年成立了邦查農場。

土地是永恒的國家

文化就是日常生活的延伸，農業正是原住民族生活的一部分。秀蓮提到，過去在部落裡，務農時唱歌、休息時跳舞，而因應農作的不同階段才衍生出許多歲時祭儀。我想到這幾年來部落祭典觀光化的嚴重衝突與矛盾，似乎需要政府帶頭做一些適當的教育與規範，而不是總用觀光可以讓部落賺錢的名義，理所當然地消費部落及原住民族文化，甚至侵犯祭典的神聖。

邦查農場除了一般維持收入的經濟作物、五穀雜糧，還有一項很特別的工作是復育野菜。秀蓮說阿美族是「吃草的民族」，只要阿美族走過的地方，所有可以吃的植物都會被採光。雖然是句玩笑話，但也讓我們知道阿美族豐富的野菜文化和智慧。她也告訴我說，野菜其實不用「種」，自己就會長了，但是現在氣候變遷以及環境的開發破壞，許多野菜也越來越難找，她試著在農場裡種植這些野菜，也在這個過程中可以和族人一起學習，希望能夠保存這樣豐富的文化。

沿著產業道路的遼闊風景，秀蓮騎著她稱為「小牛」的農用車，一邊介紹環

境、一邊指著北邊的天空說：「那裡就是太巴塱，如果那邊的天空下雨了，過不久，雨就會到我們這邊來。」這或許只是一句農人簡單的經驗談，但讓我思考的是，對一個阿美族人來說，土地的稱呼並不是依照我們現在國家畫界的行政區域，而是祖先給予的古老名字。

同仁告訴我，在二〇一四年有一群馬太鞍和太巴塱的年輕人，爲了「光復鄉」更名，被鄉公所及漢人組成的鄉代會杯葛，還有爲了祭典觀光化等問題，他們組織抗議，除了逼退原本花蓮縣政府邀請到馬太鞍和太巴塱兩個部落踩點的「廣西團」，比較激烈的是一次在光復鄉公所噴漆，除了用羅馬拼音噴下兩個部落的名字「Fata'an/Tafalong」「名從主人」，還有一句「土地是永恆的國家」。

「土地是永恆的國家」，多麼震撼的一句話！不論這塊土地的政權如何更迭，土地是永遠存在、滋養萬物的母親，而這是原住民族朋友的世界觀以及智慧。

拜訪秀蓮的那天，有位在邦查農場工作的年輕人Lbak，他是太魯閣學生青年會的前幾屆會長，在自我介紹的時候非常害羞靦腆，但是當旁邊的人請他說明一下學青會在做什麼的時候，他突然像是變了一個人，嚴肅地談起了這幾年學青會所重視的議題，除了太魯閣族的文化學習之外，這群年輕人還長期關注亞洲水泥侵占太魯閣族人耕地，以及與南澳的泰雅族青年組成的青年聯盟，共同關注南澳的高階核廢料儲存選址等。

這些雖然看似個案，但從台東的美麗灣 BOT 案、日月潭的向山 BOT 案到花蓮台東這幾年如火如荼的各項開發案，姑且不論開發的合理性和必要性，在整個過程中極不尊重在地族群，尤其是這塊土地原本的主人。「開發」兩個字不必然只有壞處，眞正的問題在於如何開發、如何與環境以及在地族群達到最根本的互相尊重，這是必須被反省的。而認識 **Lbak**，我也訝異原住民青年對土地及族群的情感，早已是眞正回到部落、腳踏在泥土上，用整個生命在實踐著這份愛。

27 台東的食農

「在地希望」一開始的原始構想是，我想要把這幾年來我在台灣各地拜訪時認識的朋友拍出來。在這個想法之下，有一個人的故事，一定會出現在這個系列之中。那個人就是鄭漢文校長。

我前面已經提過他的故事了，不過，我還是想利用這個機會再多說一些他爲台灣所做的事。

找一條回家的路

鄭校長有多年在部落小學服務的經驗，從蘭嶼的朗島國小、金峰鄉排灣族部落的東興國小，到現在服務的延平鄉布農族巴喜告部落桃源國小。這樣多年與部落族

人接觸的經驗，讓他在思考偏鄉教育時，有更深一層的思考。

因爲經濟因素，部落的人口外流其實非常嚴重，常因爲父母到外地工作，把孩子帶離了部落，使得部落中的學校，經營越來越困難。鄭校長認爲思考小校存廢不單單是限縮在校園圍牆內的評估，更該試著理解學生人數越來越少的原因，透過學校教育和部落發展的結合，嘗試爲族人「找到一條回家的路」的可能性。

在部落小學服務的過程中，他發現，族人認爲孩子受教育，只會離他們的部落文化越來越遠，讓他意識到，教育不該讓孩子離開了他的生活，也因此，他規畫各個工坊的核心理念，便是「把部落帶進學校、把學校帶進部落」。

他陸續成立了師工坊、食工坊、書工坊，以及藝工坊。師工坊，讓部落的耆老成爲師資的一環，將文化學習帶進校園。食工坊，透過校方的資源整合以及行政協助，鼓勵小農使用無毒的方式種植，也同時配合學校的營養午餐採購，讓小農有收入外，家長可以帶著孩子留在部落生活，更讓學生吃到有保障的優質食材。書工坊，和部落族人協力編纂布農文化教材，讓族語以及文化內涵更有效的保存及傳承。藝工坊，提供各種樂器才藝課程，讓小朋友有更多元的嘗試來發展興趣。

敬仰土地，才能成為一個真正的人

對於各個工坊規畫的內容，其實我已經大致熟悉，但再次來到巴喜告，總是會有新的驚喜。拜訪了與食工坊合作小農的自然農法鳳梨田，一群部落的族人爲了土地的永續而跨出第一步，採用無毒的方式栽種鳳梨，除了有經濟來源，更是教育的一環。他們告訴我，除了日常耕作，有時間也會帶著部落的孩子一起到田裡幫忙及學習，收成的時候，不同的小農也會互相幫忙，而這樣子的互助模式，布農族語稱做「mapihuma」，原來就是布農族及其他族群的傳統生活方式，部落，其實就是一個大家庭。

這次拜訪，特別參與了一堂「食農教育」的課程，由部落老師帶領低年級的孩子，認識農作與食物之間的關係。一開始聽起來好像沒什麼，種東西本來就是要拿來吃，理解這件事情有什麼困難呢？但我仔細想想，當整個社會追求效率、分工越來越細的時候，其實人和土地的關係是越來越遙遠的，像是，曾聽過有人以爲西瓜是長在樹上，甚至認爲「沒有田地有什麼關係，要吃什麼到超市購買就好啦」這樣看似荒謬的不理解，都顯示了高度發展的社會，人們對土地的認識反而越來越淡薄。

我以一個新同學的身分，加入布農族 Dahu 老師帶領的食農教育課程，先是跟著低年級的部落孩子一起採蕗蕎——布農族語傳統名字叫 pinasa。孩子小小的手撥開泥土，然後充滿成就感地抓滿一手的蕗蕎分享給我，我試吃了一口，微微帶嗆加上特有的香氣，其實很美味。老師帶著我們，走到正在曬太陽的玉米和花生旁，他拿起玉米要孩子們聞一聞香氣，Dahu 老師說玉米也是布農族傳統作物之一，布農族語的傳統名字叫做 cibu，收成後可以曬乾儲存。

原來 Dahu 老師小時候，最喜歡在夏夜裡躺在玉米上，吹著微風，看著天上的星星睡著，很舒服喔！話還沒說完，孩子們便迫不及待地問說：「那我們可以躺嗎？」Dahu 老師溫柔地回應當然可以！於是一群孩子立刻躺在鋪滿玉米的「床」上開心感受著 Dahu 老師的童年回憶。我微笑看著他們，也一邊想著，教育的本質到底是什麼？我們是不是該先學習認識這個環境、認識滋養萬物的土地、認識人與環境的關係，先成爲一個眞正的人呢？

團結台灣的答案

拍攝「在地希望」的故事，是這次選舉活動中的一個亮點。我的起心動念很簡單，這場選舉的主角不必然是我，而是在這塊土地上默默耕耘的人。我想把他們的

故事說出來，用意就是，我想讓大家知道，台灣這個國家仍然充滿了希望。我要凸顯台灣社會的生命力，同時，也是向那些，每天辛苦過日子，卻不曾放棄理想的朋友們致敬。他們每一個人，都點亮了自己，點亮了別人，也點亮了台灣。

當然，認識我們腳下這塊土地，不斷去找尋這個國家的希望，絕對不只是競選期間的活動。對一個政治人物來說，它應該是我們每一天的工作。

這些年來，我在台灣各地走動，認識了很多好朋友，他們和我分享故事，也告訴我政府還可以做些什麼。這些好朋友，一直在提醒我一件事情，台灣社會有著強韌的生命力，欠缺的是一個有領導能力、有協調能力的政府。

我的想法很簡單，當社會覺得孤單無助的時候，政府就應該反省。身為政治人物，我們不應該讓他們孤軍奮戰。

「在地希望」這個影片計畫，以及後續的所有相關活動，都是秉持著這種想法。我們希望，透過這一次大家的努力，可以為這個正在失去自信的台灣社會，注入一些正面的能量。

團結一個政黨相對容易，但是要團結整個社會則很困難。政黨所做的事，要對得起台灣人民。

然而，什麼才能團結整個台灣？我已經有我的答案。唯有人民的良善與旺盛的生命力，才能讓這個國家真正團結在一起，面向共同的未來。

在地希望，點亮台灣

精華片段

嘉義

紅土上的青春棒球夢，
讓嘉義子弟安心打球

台東

讓部落的孩子，
找到屬於自己的力量

花蓮

回到部落，
找到一群好夥伴共同經營有機農場

台南

老房子與 3D 列印機，
化身夢想孕育基地

彰化

父女搭擋，
重燃製鞋職人的驕傲與堅持

苗栗

帶著世界回到家鄉，
開始農村的寧靜革命

高雄

一群傻瓜結作夥，
譜出漁村的搖滾樂

雲林

吃優格、
聽莫札特長大的快樂豬

桃園

駕著遙控車，
一路朝世界躍進

宜蘭

不忍孩子的成長路蒼白，
一群老師自己辦出一所學校

台中

習以為常的生活中，
就有安靜的小革命

屏東

太陽底下的新鮮事，
台灣綠能的春天

澎湖

走過抗癌歷程，
科技老闆打造安心食材

南投

來自越南的新移民姊妹，
在南投山上手工採撿優質茶葉

後記
讓我們自己成爲最好的答案

二〇一二年總統大選敗選的那一個夜晚，我知道很多人因爲傷心，而掉下淚來。不過，時代的變化是擋不住的浪潮，掌握權力的人，跟不上時代的腳步就會被淘汰被換掉。

三年過去了，我們現在面臨的時代，幾乎就是一個百廢待舉的時代，處於這個時代的你，開心嗎？我們年輕時，夢想的社會是現在這個樣子嗎？二十年後，我們希望台灣的後代，活在一個什麼樣的社會呢？

我曾經問過中央黨部的一位年輕同仁：「你爲什麼要來黨部工作？」他回答我說：「我從國外回來以後，發現台灣雖然有很多問題，但至少還是一個可以有夢想的地方，而且不只可以做夢，還是可以實現夢想的地方。二〇一二年的時候，我就是坐在舞台底下哭的其中一個人，現在我還是相信民進黨會是帶領台灣社會走出困

境的其中一個解答，可以陪著我們一起實現夢想。」

百年來，台灣人的叛逆、不服輸、堅毅的性格，使得一代代的前人挺過無數艱難的時刻。台灣就是一個這樣的國家，在每一個時代，每當台灣社會遇上艱難的時刻，都存在一群不願屈服於現狀的人跳出來改變社會，並且啓發後代，傳承這種態度與精神。

前人的努力，使得我們擁有自由與民主，甚至成爲新一代亞洲人積極追求的目標。台灣的民主早已是亞洲國家的典範，台灣更要當亞洲新價值的未來領導者。

爲了民主，我們用在地希望讓人民知道政治不是離人民很遠的東西。爲了民主，我們堅持用小額捐款讓社會知道，政治的主體是人民，政治人物的決策不能被財團控制與挾持。

民進黨失去政權之後，是透過小額募款，找回我們的支持者，在他們不離不棄的奧援中，重新站起來。

有一次募款餐會，一張餐券一萬元，當我一桌桌去敬水酒時，有一桌的人跟我說，他們那一桌其實坐了一百個人。因爲他們一個人付不起一萬塊，就找了十個人湊了一萬塊，再派一個人來吃飯。

二〇一二年總統大選的時候，我們依然使用小額募款的方式，就是大家都知道的三隻小豬。當小豬的肚子剖開，常常都會發現紙條。有一張紙條讓我印象最深

刻，上面寫著：「對不起，留了一些錢吃飯，只存了這些，沒辦法。」

支持者願意掏錢給你，就代表你感動他了，他對你還有期待。支持者給你的每一筆捐款，不論多少錢，都是一種託付、一種信任。我們的支持者就是這樣，即使付不出一萬塊，甚至連吃飯都有問題，但是他們還是把僅有的信任和期待交付給我們。

有了這段過程，我特別知道一個政治人物能夠立足，是來自於基層人民的支持，他們眞心相信你能夠帶領台灣走出困境。每一筆捐款、每一張紙條、每一隻小豬，都是人民的聲音，背後是數不盡的吶喊。

因此，我便更堅信：民主，絕對是在台灣這塊土地上所有人共同的語言。

民主，讓我們社會中的每一個人可以開始說話，說出自己的心聲跟看法，讓我們社會中的每一個人都是平等的關係。於是，經過對話，我們產生了更多不可動搖的價值。我們想要新的經濟模式、重視在地經濟，兼顧永續與公平的分配。我們要實現世代正義、改革政府效能、啓動國會改革、推動轉型正義、終結政治惡鬥，我們要社會安定。

現在，我們就站在時代浪潮的浪頭上，於是我提出了我的改革、我的計畫，但是這些改革跟計畫不可能靠我一個人來獨力完成。

帝國大廈曾經是世界上最高的大樓，對當時的美國人來說，蓋一棟世界最高的

大樓是一件很了不起的事。爲了完成這個偉大的夢想，整個社會都轉動起來。當時有一位砌磚的工人被問及自己在做什麼，他不是說自己在砌磚，而是說：「我在蓋一棟世界最高的大樓。」帝國大廈不僅是人類社會不凡的成就，更是美國人不由自主展現的驕傲。

「英派」，不是屬於一個人、一個派系、或一個政黨，而是過去這幾年我在這塊土地上看見、感受、接觸到的每一個認眞砌磚，勇於做夢的人。我們需要一種不由自主展現的驕傲，一種我們正在完成一個偉大夢想的自信。

台灣的未來，我不會袖手旁觀。我會和許多民主的前輩一樣，在每一個歷史的轉折點，沒有徬徨、沒有害怕、沒有退縮，勇於承擔。正如我在這一次參選總統的演說中所做的承諾：「我拚了命也要把那些眼淚轉換成笑容。」

最後，我要向那位敢於做夢、勇於實踐的黨工，還有全體台灣人民說：「在這個沒有方向且混亂的時代，我們一起讓自己成爲答案。」

就像〈亮點〉這首歌裡面所唱的：「像雨水疼惜土地，一點一滴，攏是大家的奧援；每一顆跳動的心，都是這片土地，最美的亮點……」

照片出處

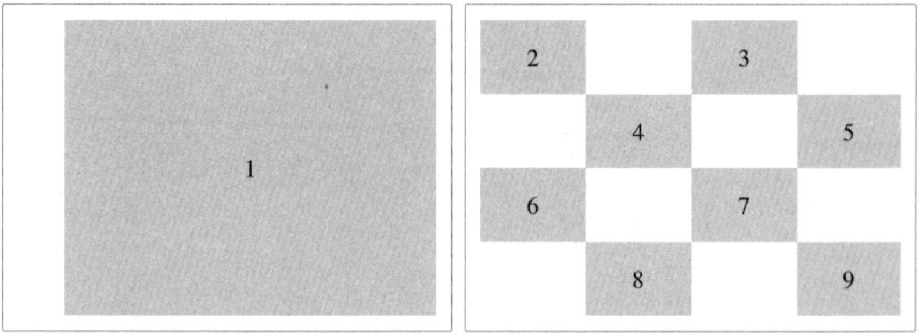

林政億 （Terry Lin）

Chapter 1-2
Chapter 3-2, 3-5, 3-7, 3-8
Chapter 4-1, 4-3, 4-5, 4-7, 4-8
Chapter 5-7
Chapter 6-1, 6-2, 6-3, 6-4, 6-5, 6-6, 6-7, 6-8, 6-9
Chapter 7-8

林育良 （Makoto Lin）

Chapter 1-1, 1-3, 1-4, 1-5, 1-6, 1-7, 1-8, 1-9
Chapter 2-1, 2-2, 2-4, 2-5, 2-6, 2-7, 2-8, 2-9
Chapter 3-1, 3-3, 3-4, 3-6, 3-9
Chapter 4-2, 4-6, 4-9
Chapter 5-1, 5-2, 5-3, 5-4, 5-5, 5-6, 5-8
Chapter 7-1, 7-2, 7-3, 7-4, 7-6, 7-7, 7-9

陳若軒 Chapter 5-9, Chapter 7-5

黃重諺 Chapter 2-3

詹賀舜 Chapter 4-4

國家圖書館出版品預行編目資料

英派：點亮台灣的這一哩路／蔡英文 著.
-- 初版. -- 臺北市：圓神, 2015.10
272面；14.8×20.8公分. --（圓神文叢；175）

ISBN 978-986-133-554-4（平裝）
1. 蔡英文　2. 臺灣傳記

783.3886　　104017121

Eurasian Publishing Group 圓神出版事業機構 用心與你對話．視野無限寬廣　圓神出版社 Eurasian Press

www.booklife.com.tw　　reader@mail.eurasian.com.tw

圓神文叢 175

英派：點亮台灣的這一哩路

作　　者／蔡英文
文字撰修／劉建忻、陳俊麟、羅　融、李立偉、張之豪、范綱晧、吳沛憶、張慧慈、黃郁芬、Savungaz Valincinan、趙怡翔、李　問
採訪整理／梁掬辰、楊智傑
發 行 人／簡志忠
出 版 者／圓神出版社有限公司
地　　址／台北市南京東路四段50號6樓之1
電　　話／(02) 2579-6600・2579-8800・2570-3939
傳　　真／(02) 2579-0338・2577-3220・2570-3636
郵撥帳號／18598712　圓神出版社有限公司
總 編 輯／陳秋月
主　　編／吳靜怡
責任編輯／莊淑涵
美術編輯／劉鳳剛
行銷企畫／吳幸芳・張鳳儀
印務統籌／劉鳳剛・高榮祥
監　　印／高榮祥
校　　對／羅　融・周婉菁・莊淑涵
排　　版／杜易蓉
經 銷 商／叩應股份有限公司
法律顧問／圓神出版事業機構法律顧問　蕭雄淋律師
印　　刷／祥峯印刷廠
2015年10月　初版

定價 300元　　ISBN 978-986-133-554-4

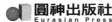